CW00854499

Nebel des Krieges

Die den Nebel des Krieges lüften

Der militärische Nachrichtendienst im Spiegel historischer Vorschriften

Bibliographische Informationen der Deutschen Nationalbibliothek

Die Deutsche Nationalbibliothek verzeichnet diese Publikation in der Deutschen Natio-nalbibliographie; detaillierte bibliographische Daten sind im Internet über dnb.d-nb.de abrufbar.

2. Auflage
Herstellung und Verlag: BoD - Books on Demand, Norderstedt

ISBN: 9783750438187

Inhalt

H.Dv.g. 89 Feindnachrichtendienst.

A. Einführung

1. Der Feindnachrichtendienst (F.N.D.) ist für die Führung von großer Bedeutung. Nächst dem eigenen Auftrag geben die Feindnachrichten die wichtigsten Unterlagen für die Beurteilung der Lage und den Entschluss.

2. Die Grundlage für die Gewinnung des Feindbildes sind die im Frieden über die Wehrkraft des Feindlandes erlangten Kenntnisse.

Im Kriege hängt die Möglichkeit, Feindnachrichten zu erhalten, von der militärpolitischen Lage und dem Gang der Operationen ab. Gefechtsberührung mit dem Feinde begünstigt die Nachrichtengewinnung, besonders für die Kommandobehörden und die Truppe. In Operationspausen oder bei einer Kriegführung in weiten Räumen, auch in Übersee, wird bisweilen nur das Oberkommando des Heeres – in Zusammenarbeit mit dem geheimen Meldedienst des O.K.W. (vgl. Ziffer 46) – in der Lage sein, Feindnachrichten zu gewinnen.

B. Grundsätze des Feindnachrichtendienstes

3. Der F.N.D. soll dem Truppenführer ein möglichst klares Bild der Kräfteverteilung, der Absichten, des Kampfverfahrens und des Kampfwertes des Gegners geben und dadurch der eigenen Truppe die wirksame Bekämpfung des Gegners erleichtern.

4. Nur in Ausnahmefällen wird es gelingen, völlige Klarheit über Stärke und Absichten des Gegners zu gewinnen.

Trotz aller technischen Verfeinerung der neuzeitlichen Aufklärungsmittel wird das Feindbild meist durch einen mehr oder weniger dichten Nebel der Ungewissheit getrübt sein.

Der F.N.D. muss sich daher von vorgefassten Meinungen freihalten, alle eingehenden Meldungen auf ihren Wert genau prüfen und keine Möglichkeit der Nachrichtengewinnung unausgenutzt lassen.

5. Im Allgemeinen wird die Beurteilung der feindlichen Absichten davon ausgehen müssen, dass der Feind zweckmäßig handelt. Es darf aber vom Gegner nicht ohne weiteres ein Verhalten erwartet werden, dass deutscher Führungsweise entspricht. Der Gegner ist meist nach anderen Grundsätzen erzogen und ausgebildet als das deutsche Heer.

Auch seine nationalen […] Eigenschaften wirken sich in seinem militärischen Handeln aus.

Fehlerhafte Maßnahmen des Feindes zu erwarten, ohne dass hierfür glaubwürdige Unterlagen vorhanden sind, ist falsch.

Die Kenntnis persönlicher Eigenschaften der feindlichen Führer kann die Feindbour teilung erleichtern.

6. Der Feindbearbeiter muss die deutschen Grundsätze des Gefechts verbundener Waffen, bei höheren Kdo.Behörden auch die der Führung der anderen Wehrmachtsteile kennen.

Darüber hinaus muss er das Gefüge, die taktischen und operativen Grundsätze und die Eigentümlichkeiten des feindlichen Heeres bis in zahlreiche Einzelheiten so beherrschen, dass er Meldungen, Beutepapiere und Gefangenenaussagen schnell und zuverlässig auswerten kann. Hierzu ist möglichst eingehende Kenntnis fremder Sprachen, besonders der militärischen Fachausdrücke, erwünscht.

Er muss gründlich, ausdauernd und schnell arbeiten können und das Wesentliche von belanglosen Einzelheiten zu scheiden wissen.

Der Feindbearbeiter der Kdo.Behörden vom Div.Kdo. an aufwärts kann die Generalstabsausbildung nur in Ausnahmefällen entbehren. Der erste Gehilfe des Feindbearbeiters (O 3) muss imstande sein, ihn auch längere Zeit zu vertreten.

7. Aufklärung und Auswertung erfordern eine ununterbrochene, peinlich genaue Arbeit. Aus zahlreichen, sich teilweise widersprechenden, häufig nur an verdeckter Stelle auffindbaren und oft nur mühsam deutbaren Einzlnachrichten soll in kürzester Zeit ein geschlossenes Bild von Gliederung und Absicht des Feindes entstehen.

Bei Weitergabe der Feindnachrichten muss stets klar zu erkennen sein, ob eine Nachricht als zuverlässig, fraglich oder unglaubhaft bewertet wird. Hierzu wird häufig die Quelle der Nachricht angegeben werden müssen. Bestätigungen einer Nachricht gewinnen an Wert, wenn sie aus einer anderen als der ursprünglichen Quelle kommen. Bestätigungen aus der gleichen Quelle können eine vom Gegner beabsichtigte Irreführung sein.

Der Zeitwert einer Meldung bedarf stets der Prüfung. Persönliche Kenntnis der Urheber einer Meldung erleichtert häufig die Verwertung.

8. Je höher die Kdo.Behörde, desto mehr Feindnachrichten benötigt sie zur Truppenführung.

Im Allgemeinen muss jede Kommandobehörde mindestens die Gruppierung und Bewegung des Gegners im Bereich der nächsthöheren eigenen Kommandobehörde kennen.

9. Über das augenblickliche Bild beim Feinde hinaus muss der F.N.D. die künftigen Möglichkeiten beurteilen und Anzeichen für ihre Ausführung erkennen.

10. Das Arbeitstempo aller im F.N.D. tätigen Stellen muss der Schnelligkeit entsprechen, welche die Technik, insbesondere der Motor, die Luftwaffe und das Funkwesen, einer Operation wie auch dem Nachrichtendienst selbst gibt.

Dies ist nur bei straffer Organisation des Meldedienstes, der Meldewege und des Geschäftszimmerdienstes möglich.

Die beste Meldung verfehlt ihren Zweck, wenn sie den, für den sie bestimmt ist, zu spät erreicht.

C. Organisation der F.N.D.

11. Die Bearbeitung des F.N.D. ist beim Oberkommando des Heeres die Aufgabe des Oberquartiermeisters IV und der diesem unterstellten Abteilungen „Fremde Heere"[1], bei den Kommandobehörden die Aufgabe des Generalstabsoffiziers I c, bei der Truppe die Aufgabe aller Stäbe und Einheiten.

12. Beim Heeresgruppenkommando, beim Armeeoberkommando und beim Panzergruppenkommando führt der Feindbearbeiter die Bezeichnung I c/A.O., beim Korps- und Div.Kdo. heißt er I c. Ihm obliegen folgende Arbeitsgebiete:

    a) in der Führungsabt.:

       Beschaffung und Auswertung von Feindnachrichten.

    b) unmittelbar unter dem Chef des Gen.St.:

       Abwehrdienst, geistige Betreuung, Propaganda, Presse und verwandte Einzelgebiete.

Beispiele für die Geschäftseinteilung der Gruppe I c bei Armee, Korps und Division zeigen die Anlagen 1 bis 3.

Die Geschäftseinteilung der Gruppe I c bei einem Heeresgruppen- und bei einem Panzergruppenkommando ähnelt der bei einem Armeeoberkommando.

13. Als Abw.-Offizier leitet der I c/A.O. im Befehlsbereich des Armeoberkdos. Verantwortlich den Abwehrdienst. Er verfügt hierzu über einen eigenen A.O. (aktiver Offizier des Abwehrdienstes).

Der I c/A.O. des Heeresgruppenkdos. überwacht die Abwehrmaßnahmen der der Heeresgr. unterstellten A.O.K.

Bein Korps- und Div.Kdo. bearbeiten die I c die Abwehr feindlicher Spionage und Sabotage sowie die Propagandafragen für ihren Bereich nach Anweisung des I c/A.O. der Armee.

Die Aufgaben des I c als Abw.Offizier sind in Anlage 4 aufgeführt.

14. Die Arbeitsunterlagen für die I c und die Truppe werden von den Abt. Fremde Heere des Generalstabes des Heeres im Frieden alljährlich, in der Regel im Frühjahr, in „Feindmappen" gesammelt ausgegeben.

Die Mappen enthalten die Unterlagen in für H.Gru.Kdo., A.O.K., Pz.Gru.Kdo., Gen.Kdo. und Div.Kdo.verschieden abgestuftem Umfang. Sie werden bei den

---

[1] Zurzeit bearbeiten: die Abt. Fremde Heere West: das britische Reich, Frankreich, Belgien, die Niederlande, Italien, die Schweiz, Spanien, Portugal, Nord-, Mittel- und Südamerika, Irak, Arabien, die Abt. Fremde Heere Ost: Russland, die nordischen Staaten, Ungarn, die Balkanstaaten, die Türkei, Iran, Afghanistan, Japan, China.

Kdo.Behörden des Friedensheeres in einer für alle Verbände des Feldheeres ausreichenden Anzahl niedergelegt.

Für die Truppenteile des Feldheeres werden bei den O.K.H.-Kartenlagern Taschenbücher und Uniformtafeln über die fremden Heere in einer für die Verteilung bis zur Komp. usw. einschl. ausreichenden Menge niedergelegt.

Befestigungskarten werden durch die Abt. Fremde Heere bearbeitet und über die O.K.H.-Kartenlager der Abt. für Kriegskarten- und Vermessungswesen ausgegeben.

Im Kriege werden außer durch den Lagebericht des O.K.H. (vgl. Ziffer 23) die Friedensunterlagen durch weitere Ausarbeitungen ergänzt.

D. Aufgaben des F.N.D.

1. Beim Oberkommando des Heeres

15. Das Oberkommando des Heeres wertet im Frieden sämtliche bei ihnen eingehenden Nachrichten über die fremden Heere aus. Es stellt sie für jedes Heer in der Denkschrift „Die Kriegswehrmacht" zusammen. Diese enthält Angaben über Stärke, Gliederung, Bewaffnung, Ausrüstung, Befestigungen, Kampf- und Führungsgrundsätze, Kampfwert, Führerpersönlichkeiten und über die mutmaßlichen Operationen des fremden Heeres, ferner über die Luftwaffe, Marine, Wehrwirtschaft und sonstige Faktoren der Wehrkraft.

Im Kriege leitet das Oberkommando des Heeres den F.N.D. gegen die feindlichen Heere. Seine besondere Aufgabe ist es, Klarheit über Stärke und Gruppierung der operativen Reserven des Gegners zu gewinnen

Außer den Nachrichten über die im Kampf gegenüberstehenden Feindkräfte hat das O.H.K. solche über das feindliche Ersatzheer, Neuaufstellungen, Verschiebungen auf andere Kriegsschauplätze, sowie über Änderungen im Kampfverfahren und in der Bewaffnung zu beschaffen und auszuwerten.

Innerhalb des beim O.K.H. bearbeiteten Gesamtbildes der Feindlage können Einzelnachrichten, die sonst unwichtig oder unglaubhaft erscheinen, Bedeutung erlangen.

2. Bei den Kommandobehörden

16. Der I c untersteht dem I a und ist dessen Gehilfe in der Bearbeitung des Feindbildes. Die Bewertung des Feindbildes ist Sache des Truppenführers in Zusammenarbeit mit Chef oder I a.

Die Beurteilung der Feindlage geht stets von der Kommandobehörde aus, nicht von dem I c allein.

17. Der I c wertet die Feindnachrichten aus und fasst das Ergebnis in Vorschläge für die Ziffern „Feind" und „Aufklärung" zusammen. Er trägt die Feindlage und seine Vorschläge dem I a und bei Kommandobehörden vom Korpskommando an aufwärts – in wichtigen Fällen in Gegenwart des I a – dem Chef des Gen.St. vor. Dieser entscheidet über Bewertung und Weitergabe der Nachrichten und befiehlt etwaigen Vortrag beim Truppenführer.

18. Der I c bearbeitet die „Besonderen Anordnungen für die Aufklärung". Bei Kommandobehörden vom Korpskommando an aufwärts kann ein „Feindnachrichtenblatt", in größeren Verhältnissen ein „Lagebericht" an die Stelle der Feindziffer treten oder diese ergänzen (vgl. Ziffer 23 und 25).

Der I c führt ferner die Feindlagenkarte.

19. Wichtige Einzelnachrichten, die das bisherige Bild der Lage verändern, werden dem I a sofort vorgetragen und mit seiner Genehmigung weitergegeben.

20. Enge Zusammenarbeit mit dem I a ist eine der wichtigsten Voraussetzungen für die Arbeit des I c.

Nur wenn er sich frühzeitig über die eigene Lage und Absicht unterrichtet, kann er länger dauernde Erkundungen zeitgerecht einleiten, richtige Vorschläge zum Ansatz der Aufklärung machen und die eingehenden Nachrichten der Lage entsprechend auswerten. Häufig wird es zweckmäßig sein, dass der I a den I c zu „Vorbesprechungen" heranzieht und ihn über „Erwägungen" unterrichtet.

Die eigene Gliederung muss dem I c so weit bekannt sein, dass er die Feindunterlagen und Feindnachrichten rechtzeitig und in dem jeweils gebotenen Umfang verteilen kann.

Der Arbeitsraum des I c liegt möglichst nahe dem des I a.

21. Der I c stellt das Zusammenwirken aller Einheiten, die der Nachrichtengewinnung dienen, insbesondere das Abstimmen von Erd- und Luftaufklärung, sicher. Zu allen diesen Einheiten (Truppen vorderer Linie, A. A., Beob.Abt., Nachr.Abt., Horchkomp., Aufkl.Flieger) hält er Verbindung. Rücksprachen mit den I c benachbarter, vorgesetzter und unterstellter Kommandobehörden, Anfragen bei Verbandsplätzen, Gefangenen- und Beutesammelstellen ergänzen die gewonnenen Nachrichten.

Kommandeure, Generalstabsoffiziere und Adjutanten unterstellter Truppen müssen dem I c bekannt sein.

Mit der Luftwaffe arbeitet der I c wie folgt zusammen: bei den H.Gru:kdo., A.O.K. und Pz.Gru.Kdo. mit dem I a des Koluft, bei dem Korpskommando (mot.) mit dem Gruppenführer der Flieger (Grufl.), bei dem Korps- und Div.Kdo. mit dem Führer der taktisch unterstellten Aufklärungsstaffel.

22. Beim Einsatz der Nachrichtenmittel für Aufklärung, Verschleierung und Täuschung, Fernsprechabfrage- und Meldedienst, sowie bei der abwehrmäßigen Sicherung des Nachrichtenverkehrs arbeitet I c mit dem Nachr.Führer zusammen.

23. Das Feindnachrichtenblatt oder der Lagebericht ist eine Zusammenfassung der ausgewerteten Feindnachrichten. Es muss die Auffassung der eigenen Kommandobehörde

und die Folgerungen aus den Feindnachrichten erkennen lassen. Es ergänzt ferner die Angaben über die feindliche Kräftezusammensetzung. Es wird im Allgemeinen mit dem Operationsbefehl zusammen, in größeren Verhältnissen bis zu zweimal täglich ausgegeben. Ihm wird in der Regel eine Lagenskizze beigefügt.

Lageberichte höherer Kommandobehörden enthalten meist zahlreiche Einzelangaben über die feindliche Kräftegliederung. Ihre vollständige Weitergabe nach unten ist oft eine unnötige Belastung. Sie bringt die Gefahr mit sich, dass der Gegner i den besitz der eigenen Lagenbeurteilung kommt, aus ihr die von uns benutzten Nachrichtenquellen ersieht und diese sperrt. Es bedarf der Prüfung, was der unteren Stelle weitergegeben werden muss und was nicht. Bei der Weitergabe der Ergebnisse der Funkaufklärung ist deren Herkunft stets zu tarnen.

24. Die Feindlagenkarte wird im Maßstab der bei der Kommandobehörde in Gebrauch befindlichen Führungskarte geführt. Maßstab 1 : 25 000 oder größer ist nur in Sonderfällen zweckmäßig.

Sie ist ständig auf dem Laufenden zu halten und muss das vermutete oder erkannte Feindbild, mit Erläuterungen versehen, in gut lesbarer Form darstellen.

Es ist die Kunst des I c, die Ergebnisse der Aufklärung zu bestimmten Zeitpunkten so in der Feindlagenkarte festzulegen, dass diese für bevorstehende Entschlüsse eine übersichtliche und zutreffende Unterlage bildet.

25. Die Führung besonderer Feindlagenkarten über die Verteilung der Artillerie, de Panzer und über Transportbewegungen auf Eisenbahnen und Straßen kann bei höheren Kommandobehörden zweckmäßig sein. Derartige Sonderlagenkarten erleichtern besonders die Beurteilung des operativen Verhaltens des Gegners.

Eine Luftlagenkarte wird in den Dienststellen der Luftwaffe geführt.

Karten feindlicher Befestigungen werden im Allgemeinen beim Oberkommando des Heeres bearbeitet. Im Stellungskriege kann ihre Bearbeitung den Armeeoberkommandos übertragen werden.

Planpausen können das Führen der Lagenkarten erleichtern. Sie eignen sich jedoch wegen ihrer Fehlerquellen im Allgemeinen nicht zur Weitergabe von Feindnachrichten.

26. Neben dem „Feindnachrichtenblatt" und Lagekarten hat der I c nach Anordnung des Chefs des Gen.St. zusammenfassende Darstellungen aufzustellen; sie fassen das Ergebnis bestimmter Zeitabschnitte zusammen und sollen den Bearbeiter zwingen, die Gesamtlage im Auge zu behalten, ohne sich in Einzelheiten zu verlieren. Gleichzeitig bieten sie den Kdo.-Behörden die Grundlage für deren Feindbeurteilung.

Aus den Zusammenstellungen muss ersichtlich sein:

Auftreten neuer Feindtruppenteile während der Berichtszeit und ihre Bewertung. Erkannte Feindgliederung und beobachtete Tätigkeiten des Feindes vor der Front (z.B. vorderste Linie, Tätigkeit der einzelnen Waffen, Reserven, Verschiebungen, Feindverluste), hierfür genügt oft Skizze;

Schlussfolgerung über die wahrscheinlichsten Feindabsichten.

Hinweis auf besonders wichtige Nachrichten (Urschrift).

27. Der I c sorgt in Zusammenarbeit mit der Kartenstelle bzw. Plangruppe dafür, dass feindliche Befestigungskarten und die zu diesen erscheinenden Berichtigungen sowie militärgeographische Unterlagen rechtzeitig und in genügendem Ausmaß an die unterstellten Verbände verteilt und dass die feindlichen Befestigungskarten des eigenen Stabes auf dem laufenden gehalten werden.

28. Für alle eingehenden Feindnachrichten ist die Dienststelle des I c das Sammelbecken.

Die Geschäftsordnung der Kdo.-Behörden muss sicherstellen, dass alle I c-Angelegenheiten auf schnellstem Wege an diesen gelangen. Auch Feindnachrichten, die dem Truppenführer, dem Chef des Gen.Stabes, dem I a usw. im Verlauf von Ferngesprächen, beim Besuch von Truppen oder durch vom Gefechtsfeld zurückkehrende Offiziere unmittelbar gemeldet werden, müssen dem I c unverzüglich zugeleitet werden. Jeder, der solche Nachrichten bringt, ist selbst für ihre Weitergabe an den I c verantwortlich. Dies entbindet den I c jedoch nicht von der Pflicht, auch seinerseits alles zu tun, um solche Nachrichten zu erfahren.

29. In Spannungszeiten und zu Beginn eines Krieges müssen die I c von in Grenznähe stehenden Verbänden mit der nächsten Stelle der Abw. Verbindung aufnehmen und mit dieser die Zusammenarbeit mit dem Zoll, dem verstärkten Grenzaufsichtsdienst (V.G.A.D.) und der Grenzwacht regeln, der I c/A.O. auch mit der Geheimen Staatspolizei.

Zivilkleidung und zivile Fahrgelegenheiten müssen für getarnte Erkundungen zur Hand sein.

Ein Abhördienst des eigenen und fremdländischen Rundfunks ist einzurichten, letzterer zur Schulung der dem I c beigegebenen Dolmetscher auszunutzen. Nach Ausbruch eines Krieges wird das Abhören fremdländischen Rundfunks durch das O.K.H. geregelt.

30. Für den I c einer Division gelten die in den Ziff. 16 bis 29 gegebenen Bestimmungen sinngemäß. Er untersteht in jeder Hinsicht dem I a. Er sorgt im Einvernehmen mit dem I b für die tägliche Bekanntgabe der Gefangenensammelstelle und meldet die Zahl der gemachten Gefangenen.

E. Arbeitsweise des I c.

31. Der I c muss sich mit dem Inhalt der von den Abt. Fremde Heere herausgegebenen Arbeitsunterlagen (vgl. Ziff. 14) eingehend vertraut machen.

Hat er über ein fremdes Heer gründliche Kenntnisse erworben, so erleichtert ihm dies die Bearbeitung weiterer fremder Heere.

32. Diejenigen Feindnachrichten, die die Führung zu Beginn eines Krieges zunächst benötigt, sind in Aufklärungsplänen zusammengestellt. Man unterscheidet

den Spannungs-Aufklärungsplan,
den Kriegsaufklärungsplan,
   a) für den Frontmeldedienst,
   b) für den Geheimen Meldedienst.

33. Der Spannungsaufklärungsplan enthält die Fragen, deren Aufklärung während einer Zeit politischer Spannung erforderlich und möglich ist. Aufklärung in Spannungszeiten erfolgt durch den Geheimen Meldedienst in enger Zusammenarbeit mit dem Zoll, dem V.G.A.D., der Grenzwacht und der Geheimen Staatspolizei, durch Nachrichtenmittel sowie durch in Grenznähe befindliche Truppen und die Luftwaffe.

34. Der Kriegsaufklärungsplan enthält die ersten bei Kriegsbeginn aufzuklärenden Fragen über

Aufmarsch,
Führung der Operationen,
Kriegsgliederung,
Bewaffnung,
Kampfverfahren,
Kampfwert,
Transportwesen und Versorgung des Feldheeres,
Ersatzwesen.

Der erste teil dieses Planes enthält diejenigen Fragen, die durch den Frontmeldedienst, d. h. die Erd- und Luftaufklärung der Truppe, und die Aufklärung durch Nachrichtenmittel aufgeklärt werden können. Der zweite Teil enthält diejenigen Fragen, die nur durch den Geheimen Meldedienst erfassbar sind.

35. Die Erdaufklärung erfolgt durch mot., berittene und Radfahr-Aufkl.-Abteilungen sowie durch die Erkundungs- und Gefechtsaufklärungstätigkeit aller Truppen. Die artilleristische Aufklärung fällt insbesondere den Beob.Abt. zu. Diese überwachen zugleich das Gefechtsfeld.

Höhere Kdo.-Behörden können sich eigene Beob.Stellen einrichten und Offiziere ihrer Stäbe für besondere Aufklärungsaufträge entsenden.

36. Die Luftaufklärung erfolgt durch die den Kommandobehörden des Heeres taktisch unterstellten Aufklärungsstaffeln F, H oder Pz. Diese melden durch Meldeabwurf oder Funk während des Fluges, mündlich oder schriftlich nach erfolgter Landung oder durch Luftbild.

Die Ergebnisse der Luftbildauswertung werden je nach dem Umfang der Aufnahmen eine halbe bis mehrere Stunden nach der Landung in Form von Bildmeldungen übermittelt. Ausgewertete Luftbilder werden nachgereicht, jedoch nur bei besonders wichtigen Auswerteergebnissen oder falls Belege für die Bildmeldungen gefordert werden. Dies ist bei allen Unterlagen für die Übertragung von Luftbildern in die Karten der Fall, wie sie meist in Zeiten der Vorbereitung benötigt werden.

Die Ergebnisse der in den Luftaufklärungsräumen des Heeres und jenseits derselben aufklärenden Verbände der operativen Luftwaffe, auch besonders wichtige Luftbilder werden dem I c durch den Koluft übermittelt.

37. Die Grundsätze für die Erd- und Luftaufklärung enthält die T.F. Für die Luftaufklärung sind ferner H. Dv. 402, Teil I bis IV, und die hierzu ergänzend herausgegebenen Merkblätter maßgebend.

38. Die Aufklärung durch Nachrichtenmittel erfasst die Nachrichtenübermittlung des Gegners und wertet sie aus. Auch hier unterscheidet man operative, taktische und Gefechtsaufklärung.

Die Hauptaufklärungsarten sind Drahtaufklärung und Funkaufklärung. Außerdem sind das Mitlesen von Blinksprüchen und das Abnehmen der Meldungen von Brieftauben und Meldehunden möglich.

Technische Nachrichtenmittel dienen außerdem dem Fernsprechabfrage- und Meldedienst und dem Abhören durch Lauschmikrophone.

39. Die operative Funkaufklärung führen die Kommandeure der H-Truppen durch, denen hierzu feste Horchstellen und H-Kompanien unterstellt werden. Feste Horchstellen können auch unmittelbar dem O.K.H. unterstehen.

Horchkompanien sind Heerestruppen. Sie können in Ausnahmefällen dem O.K.H. unterstellt werden.

Die Einsatzbreite einer H-Kompanie beträgt 150 bis 500 km. Der Einsatz richtet sich nach dem Aufklärungsauftrag, den örtlichen Empfangsverhältnissen, dem Straßennetz und den verfügbaren Fernsprech- und Fernschreibverbindungen.

Die Kommandeure der H-Truppen melden die Aufklärungsergebnisse dem O.K.H., ihrem H-Gr.Kdo. und den in Frage kommenden A.O.K.

Austausch der Ergebnisse zwischen den H-Verbänden sowie Zusammenarbeit mit dem H-Dienst der Luftwaffe und der Kriegsmarine können zweckmäßig sein.

Frühzeitiger Einsatz ist erforderlich, weil meist erst nach längerer Beobachtung brauchbare Aufklärungsergebnisse erzielt werden.

Enge Zusammenarbeit zwischen dem I c und dem Kommandeur bzw. Kompaniechef der H.-Einheit sowie dem Führer der Horchauswertestelle ist zu gegenseitiger Klärung der Ergebnisse der gesamten Aufklärung unerlässlich.

Ein Beispiel für den Einsatz einer Horchkomp. Zeigt Anlage 5.

40 Die taktische und die Gefechtsaufklärung durch Nachrichtenmittel ist in erster Linie Aufgabe des Nachrichtenaufklärungszuges der Div.-Funkkompanie. Aufklärungsabteilungen, Fallschirmtruppen usw. können an Leitungen anschalten oder ankoppeln.

Den Einsatz des Nachrichtenaufklärungszuges befiehlt der Kommandeur der Div.-Nachrichtenabteilung nach den Weisungen der Div.

41. Der Fernsprechabfrage- und Meldedienst über feindwärts gelegene Drahtanlagen ist ein wichtiges Aufklärungsmittel im eigenen, in besonderen Fällen auch im Feindesland.

15

Er benutzt das Fernsprechnetz, um Nachrichten aus der Bevölkerung zu erfragen oder entgegenzunehmen.

42. Gefangene sind durch die Truppe und beim Div.Kdo. nur kurz über die augenblickliche Gefechtslage zu vernehmen. Sie sind baldmöglichst an die Gefangenensammelstelle des Armeekorps oder des A.O.K. abzuschieben. Hier werden sie durch vom I c/A.O. der Armee nach vorn gesandte Offiziere und Dolmetscher planmäßig vernommen.

Das Verfahren der Vernehmung und des Abschubs ist im Einzelnen aus Anlage 6 ersichtlich.

Der Gefangene ist verpflichtet, seinen richtigen Namen und Dienstgrad anzugeben. Weitere Aussagen kann er verweigern.

Die Vernehmung und die Weiterleitung des Ergebnisses sowie der Abschub des Gefangenen sind bei allen Stellen beschleunigt durchzuführen. Die frühzeitige Übernahme der Gefangenen durch besondere Überwachungskräfte ist in Zusammenarbeit mit dem 2. Gen.St.Off. (Qu., I b) sicherzustellen.

Bei großer Gefangenenzahl ist es zweckmäßig, einige Gefangene möglichst von allen aufgetretenen feindlichen Truppenteilen herauszusuchen und sie auf leer zurückfahrenden Lkw. vorweg zur Vernehmung abzuschieben.

Gefangene der feindlichen Luftwaffe (Flieger, Fallschirm- und Luftlandetruppe) sind der nächstgelegenen Dienststelle der Luftwaffe zu übergeben, die auch ihren Abschub übernimmt.

Einwohneraussagen können gelegentlich von Wert sein.

43. Beutepapiere sind:

  Befehle, Karten, Akten, Vorschriften, Entwürfe, Briefe, Postkarten, Notizbücher, Tagebücher, Soldbücher,
  Lichtbilder, Filmstreifen,
  Telegrammstreifen, Geheimschlüssel,
  Signalbücher, Decknamenlisten, Rufzeichen.

Außer bei feindlichen Gefangenen, Überläufern, Gefallenen, Brieftauben, Meldehunden,, auf Fahrzeugen, Panzern, Flugzeugen und feindlichen Stellungen können wertvolle Beutepapiere auch bei Behörden, Post- und Telegraphenämtern, Bahnhöfen, in Eisenbahnzügen, Briefkästen, bei Zeitungsbetrieben und in Diensträumen von Rundfunksendern gefunden werden.

Sehr wichtig sind feindliche Schlüsselmaschinen. Sie sowie erbeutete Schlüsselunterlagen, Rufzeichen usw. sind dem Horchdienst zuzuleiten.

44. Die Auswertung von Beutepapieren erfordert gute fremdsprachliche Kenntnisse, insbesondere der militärischen Fachausdrücke und der dem fremden Heere eigenen Ausdrucksweise, sowie Fertigkeit im schnellen und treffenden Übersetzen. Die Auswertung erfolgt in der Regel beim A.O.K.

Bei der Truppe, den Div.- und Korpskommandos sind nur solche Beutepapiere auszuwerten, die für die augenblickliche Gefechtslage von Wert sein können, z. B. taktische Befehle, Truppengliederungen und Karten.

Bei der ersten Auswertung sind besonders zu beachten:

> Gefechtsaufträge,
>
> Truppenbezeichnungen, sie sind meist in der im fremden Heer üblichen Abkürzung geschrieben,
>
> Namen höherer Führer,
>
> Verteiler, diese geben häufig besonders genauen Einblick.

Es ist verboten, Beutepapiere als persönliches Andenken zu behalten.

Beutepapiere, die besonders wichtigen Einblick in die Verhältnisse beim Gegner geben, vor allem solche militärpolitischer und politischer Art, sind auf dem schnellsten Wege in Urschrift dem OKH zuzuleiten.

45. Die Bergung von Beutewaffen und Beutegerät ist Sache des Quartiermeisterdienstes.

I c sorgt dafür, dass das Auftreten neuer, bisher unbekannter Waffen unverzüglich gemeldet wird.

Die Weiterleitung von Beutewaffen und -gerät ist aus Anlage 7 ersichtlich.

46. Der Geheime Meldedienst ist im Frieden eine der wichtigsten Nachrichtenquellen.

Im Kriege wird seine Tätigkeit durch Abwehrmaßnahmen des Gegners, Ausfall von Agenten, Überwachung oder Schließung neutraler Grenzen erschwert. Besonders zu Kriegsbeginn geht die Zahl der auf diesem Wege eingehenden Nachrichten zurück.

Der Geheime Meldedienst ist häufig das einzige Mittel, welches in das hinter der eigentlichen Kampfzone gelegene rückwärtige Gebiet des Gegners, seine Hauptstadt und die Zivilbevölkerung einzudringen und hier Nachrichten zu beschaffen vermag.

Die Aufträge an den Geheimen Meldedienst werden im Allgemeinen vom OKW und den Wehrmachtteilen erteilt. Das schließt jedoch nicht aus, dass die I c/A.O. ihn für Aufträge ihrer Kommandobehörden mit ausnutzen.

Das Erteilen von Aufträgen an Abw.-Dienststellen und die Entsendung eigener „Agenten" durch nicht mit I c/A.O. ausgestattete Kommandobehörden ist verboten.

Es ist nicht zu vermeiden, dass mit den Meldungen des Geheimen Meldedienstes eine Anzahl unklarer und wertloser Nachrichten eingehen. Gründliche Ausbildung der die Aufklärung ansetzenden Organe des Geheimen Meldedienstes in der Kenntnis fremder Heere trägt dazu bei, die Zahl der wertvollen Meldungen zu steigern. In Einzelfällen verspricht die unmittelbare Unterweisung durch einen I c oder einen Bearbeiter der Abt. Fremde Heere besonderen Erfolg.

Die Arbeit des Geheimen Meldedienstes wird erleichtert, wenn ihm straff gegliederte, auf das Wesentliche beschränkte Fragebogen gegeben werden. Diese müssen häufig der Lage neu angepasst werden.

47. Die Presse der feindlichen und neutralen Länder ist eine wertvolle Nachrichtenquelle. Nicht nur aus Leitartikeln und Tagesnachrichten, sondern auch aus dem Anzeigenteil, Familiennachrichten usw. können zahlreiche Einzelheiten von militärischem Wert herausgelesen werden.

Auch illustrierte Zeitschriften bieten häufig Anhaltspunkte zur Erkennung der feindlichen Truppengliederung, Bewaffnung, Ausrüstung und Abzeichen.

Da die aus der Presse zu entnehmenden Nachrichten oft nur von einem mit kleinen Einzelheiten vertrauten Bearbeiter herausgefunden werden können, wird die planmäßige Presseauswertung über fremde Heere nur beim OKH betrieben.

Bei den Kommandobehörden erlangte Pressenachrichten sind diesen zuzuleiten.

48. Die straffe Handhabung des Meldedienstes und eine durchdachte Ausnutzung der Meldewege sind Vorbedingung für schnelle und lückenlose Auswertung.

In Spannungszeiten melden die Außenstellen der Abw. an das Amt Ausl./Abw. sowie gleichlautend unmittelbar an die zuständige Abt. Fremde Heere und an die in Betracht kommenden Heeresgruppen und A.O.K. Diese regeln die Weitergabe im Einzelnen.

Neben dem territorial gegliederten Meldenetz der Abw. beginnt das taktische Meldenetz der in Grenznähe eingesetzten Kommandobehörden (I c) zu arbeiten. Die Weitergabe der Meldungen bedarf in dieser Übergangszeit besonderer Beaufsichtigung und verständnisvoller Zusammenarbeit der I c mit den Abw.-Stellen und den an der Grenze tätigen Aufklärungsorganen aller Art. Wilde Gerüchte sind in Spannungszeiten häufig. Sie sind in enger Fühlungnahme mit der zuständigen, mit den örtlichen Verhältnissen und der Glaubwürdigkeit der verschiedenen Nachrichtenquellen am besten vertrauten Abw.-Stelle zu prüfen (vgl. Ziff. 29).

Im Kriege melden die Kommandobehörden auf dem I c-Meldewege auch in allen Angelegenheiten des Abw.-Dienstes. Bodenständige Dienststellen der Abw. melden ebenso wie in Spannungszeiten.

Stehen Operationen bevor, in deren Verlauf eine neues Abw.-Netz eingerichtet werden soll, so werden den Kommandobehörden besondere Nachrichten-Beschaffungsoffiziere zugeteilt.

Die Kommandobehörden (I c) melden in der Regel zweimal täglich (Morgen- und Abendmeldung) über das Feindbild. In Zeiten starker Belastung der Nachrichtenmittel empfiehlt es sich, eine Fernsprech- oder Fernschreibverbindung zu einer bestimmten Stunde dem I c zur Verfügung zu stellen oder ihm den Vorrang auf einer Leitung zu geben.

49. Je nach Art der Kriegführung wechselt Umfang und Wert der aus den verschiedenen Nachrichtenquellen eingehenden Meldungen.

a. Die Funkaufklärung ist eine besonders ergiebige und wertvolle Nachrichtenquelle, vor allem für höhere Kommandobehörden. Sie gibt häufig Einblick in die feindliche Gliederung und Verteilung der Gesamtkräfte und gestattet daraus Rückschlüsse auf operative Absichten. Sie lässt bei schnell verlaufenden Operationen Veränderungen des

Feindbildes ohne Zeitverlust erkennen. Ihre Nachrichten haben den Vorteil der Unmittelbarkeit und Eindeutigkeit.

Auch wenn es nicht gelingt, die feindlichen Funksprüche zu entschlüsseln, kann die Funkaufklärung durch sorgfältige Beobachtung der Verkehrsbeziehungen und durch Peilung Aufschlüsse über die Gliederung des Feindes und den Sitz seiner Kommandobehörden bringen.

Der Vergleich mit den Ergebnissen anderer Nachrichtenquellen führt in solchen Fällen oft zu weitreichenden Erkenntnissen.

Ein Wechsel im feindlichen Funkschlüssel kann diese Nachrichtenquelle zeitweilig oder dauernd verstopfen. Zu berücksichtigen ist, dass der Gegner seinen Funkverkehr planmäßig zu verschleiern und durch Täuschungsverkehr die eigene Aufklärung irrezuführen sucht.

b. Der Frontmeldedienst gibt, besonders in Zeiten lebhafter Kampftätigkeit, Aufschluss über den unmittelbar den eigenen Truppen gegenüberstehenden Gegner. Er erbringt aus Beobachtungen der Truppe, Gefangenenaussagen und Beutepapieren zahlreiche Einzelnachrichten über Truppengliederung, Kampfverfahren, Artillerieeinsatz, Bewaffnung, Ausrüstung und Abzeichen, Stellungsausbau und Stimmung beim Gegner. Aus diesen kann in verhältnismäßig kurzer Zeit ein ziemlich klares Bild über die feindliche Front bis in die Tiefe etwa zu den Gefechtsständen der Korps-Kdos. gewonnen werden. In größeren Verhältnissen und längeren Zeiträumen können aus den Nachrichten des Frontnachrichtendienstes, insbesondere aus den Ablösungen eingesetzter Feinddivisionen, Schlüsse über die gegnerischen Absichten gezogen werden.

c. Die als Augen- wie als Bildaufklärung durchgeführte Luftaufklärung ist besonders geeignet, im vorderen Kampfgebiet Einzelheiten, wie Bereitstellung von Infanterie und Panzern, Artilleriestellungen, Befestigungsanlagen, im Hintergelände Marschkolonnen und Ansammlungen aller Art, Anzahl und Fahrtrichtung von Eisenbahnzügen, Ausbau von Wegen usw. festzustellen.

Sehr wertvolle Ergebnisse kann bei geeigneter Wetterlage auch die Aufklärung bei Dämmerung und Nacht bringen.

Das Schrägbild aus niederen und mittleren Höhen ist besonders zur Ergänzung von Beobachtungen aus Erd-B-Stellen geeignet.

d. Der Geheime Meldedienst ergänzt die Nachrichten der Funkaufklärung, des Frontmeldedienstes und der Luftaufklärung besonders gegen diejenigen Teile der feindlichen Wehrmacht und des feindlichen Landes, gegen die die genannten Aufklärungsmittel wenig oder gar nicht wirken können (vgl. Ziffer 46).

In Zeiten des Stillstandes der Operationen, geringer Gefechtstätigkeit und beschränkter Einsatzmöglichkeit anderer Aufklärungsmittel kann der Geheime Meldedienst das Hauptaufklärungsmittel werden.

Es ist die Kunst des I c, durch die vergleichende Auswertung von verschiedenen, auf das gleiche Ziel gerichteten Aufklärungsmitteln schließlich ein möglichst vollständiges und klares Feindbild zu gewinnen.

50. Die Verteilung und Weitergabe der Feindnachrichten (Lagebericht, Feindnachrichtenblatt, Lagenskizze vgl. Ziffer 23ff.) erfolgt nach den Grundsätzen der Ziffern 23 und 48.

Das O.K.H. und die I c der Kommandobehörden sorgen dafür, dass alle in einem bestimmten Bereich eingesetzten oder für eine bestimmte Aufgabe vorgesehene Truppen und Kommandobehörden im Besitz aller für sie notwendigen Feindunterlagen sind.

Scheidet ein Truppenverband aus einer Armee aus, um gegen ein anderes feindliches Heer eingesetzt zu werden, so sind die bisherigen Feindunterlagen von der Armee einzuziehen.

F. Ausbildung der Feindbearbeiter

51. Die Ausbildung der I c ist ein Gebiet der Generalstabsausbildung. Sie wird nach den Weisungen des Chefs des Generalstabes des Heeres durch die Chefs der Generalstäbe der Kommandobehörden durchgeführt.

Im Auftrage des Chefs des Generalstabes des Heeres gibt O.Qu. IV hierfür die notwendigen Richtlinien,

Die Ausbildung hat zum Ziel, die im F.N.D. im Kriegsfall zu verwendenden Offiziere einschließlich der des Beurlaubtenstandes für ihre Tätigkeit zu schulen. Außerdem wird angestrebt, eine möglichst große Zahl von Offizieren, insbesondere solche, die für wichtige Führerstellen bestimmt sind, und sämtliche Generalstabsoffiziere mit der Entwicklung der fremden Heere und der Arbeitsweise der I c im Kriege vertraut zu machen.

Aufgabe der Abt. Fremde Heere ist es, darüber hinaus alle Angehörigen der Wehrmacht und die militärisch interessierten Teile des Volkes über die Entwicklung der wichtigsten fremden Heere auf dem laufenden zu halten.

52. Die Ausbildung erfolgt durch Vorträge an der Kriegsakademie, bei den Kommandobehörden und Truppen, an den Kriegsschulen sowie innerhalb des Generalstabes. Die im Kriegsfall im I c-Dienst zu verwendenden Offiziere werden jährlich ein oder mehrere Male zu mehrtägigen Lehrgängen zusammengezogen.

Der allgemeinen Verbreitung der Kenntnis fremder Heere dienen die in der Militärliteratur auf Veranlassung des Generalstabes regelmäßig erscheinenden Veröffentlichungen.

53. Die Ausbildung der Organe des Geheimen Meldedienstes erfolgt durch O.K.W./ Amt Ausl./Abw., durch die Abt. Fremde Heere sowie durch die I c/A.O. nach dem vom O.K.H. herausgegebenen Unterlagen und Richtlinien.

54. Die Ausbildung der Dolmetscher erfolgt nach den Weisungen des Generalstabes des Heeres – Ausbildungsabt. – im Einvernehmen mit Oberquartiermeister IV.

Anlage 1

Beispiel für die Geschäftseinteilung der Gruppe I c/A.O. bei einem Armeeoberkommando.

Gilt zugleich als Anhalt für die Gr. I c/A.O. bei einem Heeresgruppen- und einem Panzergruppenkommando.

Leiter I c/A.O.: 3. Generalstabsoffizier
Vertreter: Ordonanzoffizier

Sachgebiet	1.	2.	3.	(4.[2])	5.	6.	7.	8.
Bearbeiter	3. G.O. O. 6	O.3 6 Dolmetscher[1])	Bearbeiter Abw. I	Bearbeiter Abw. II	Abteilungsfeldwebel	Abw.O. III akt. Abw.Offz., 3 Zensuroffz	O. 6	Führer Prop.-Komp.
Schreiber	1 Uffz., 4 Schreiber, 2 zugl. Zeichner					1 Uffz., 2 Schreiber		
Aufgaben	1. Ansetzen der versch. Nachrichtengewinnungsmittel. Zusammenfassende Darstellung der Feindverhältnisse aus d. Ergebnissen von 1, 2, 3, 4 u. 6. 2. Befehlsentwürfe für I a op. Befehle (Ziffer: Feind, Aufklärung usw., gegebenenfalls Feindnach-	1. Führen der Feindlagenkarte, Beobachtung der fdl. Kriegsgliederg., Organisation, Ausbildung, Ausrüstung, Versorgung. 2. Nachrichtengewin-	Führung von V-Leuten des Geheimen Meldedienstes zusammen mit zust. Abw.-Stellen.	Sonderaufträge	1. Führung Unterpersonal I c/A.O. 2. Führung des geh. Briefb. I a 3. Akten- usw. Verwaltung	1. Abw. fdl. Spionage, Sabotage und Zersetzung. 2. Verbindung mit den in Frage kommenden Abw.-Stellen, Verbindung mit Staatsstellen, Zivilchef, gegebenenfalls Oberquartiermeister	1. Verkehr mit fremdl. Offz. Und Berichterstattern. 2. Geistige Betreuung. 3. Politische	Einsatz Prop.-Komp. nach Weisung I c. Frontzeitung.

---

[1] davon 2 als Mitarbeiter des I c/A.O. geeignet.
[2] falls zugeteilt.

	richtenblatt). 3. Zusammen-arbeit mit Nachr.-Führer und Koluft. 4. Einsatz Prop.-Komp.	nung aus: Meldungen der Truppe, Meldungen der Truppenaufkl.-Mittel, Vernehmung der Gefangenen und Überläufer.				3. Zusammenarbeit mit Nachrichten-Führer bei Überwachung des Fernmeldeverkehrs jeder Art. 4. Pressezensur. 5. Verkehr mit der Zivilbevölkerung in territorialen Fragen. Überwachung des Personenverkehrs. 6. Geh. Briefbuch A.O. und Aktenverwaltung A.O. 7. Einsatz Geh. Feldpolizei.	Fragen, Verkehr mit Partei.
Vertreter	O.3	O.6				gegenseitig	

Bei Einteilung in Staffeln bilden 1. bis 4. die 1. Staffel, 5. bis 8. die 2. Staffel.
Führer 1. Staffel: O. 3
    "   2.   "   : Abw.Offz.III

Anlage 2

Beispiel für die Geschäftseinteilung der Gruppe I c bei einem Gen.Kdo.

Ic	O.3	O.4	Dolmetscher
Aufgaben: Leiter der Gruppe, insonderheit Feinderkundung. Verbindung mit Nachrichtenführer. **Im einzelnen:** Auswerten aller Ergebnisse der Aufklärung und Erkundung sowie sonstiger Nachrichten über den Feind. Anregung von Aufklärungsmaßnahmen bei I a zur Vervollständigung des Feindbildes. I c-Vortrag beim Kom.General, Chef und I a. Entwurf der Feind- und Aufkl.-Ziffer für den Korpsbefehl und gegebenenfalls Herausgabe eines Feindnachrichtenblattes. Zusammenarbeit mit Aufkl.-Staffel. Verbindung mit oberen Kdo.Behörden. Geistige Betreuung der Truppe.	**Aufgaben:** Stellvertreter des I c. Lagenkarte, feindl. Heer. **Im einzelnen:** Sammeln aller Ergebnisse der Aufkl. und Erkundung sowie sonstiger Nachrichten über den Feind. Vernehmung von Gefangenen und Überläufern (zus. mit Dolmetscher). Zusammenarbeit mit den I c der Divisionen. Einsatz der Prop.-Kp.-Züge.	**Aufgaben:** Abw.-Offz. Überwachung des Personenverkehrs Geh. Briefbuch **Im einzelnen:** Abw. feindlicher Erkundungstätigkeit aller Art (außer takt. Maßnahmen). Maßnahmen für Geheimhaltung, Verschleierung und Täuschung. Abwehr von Zersetzung u. von Kriegs- u. Landesverrat. Überwachung des Personenverkehrs, Verkehr mit fremden Offz. U. Berichterstattern. Zusammenarbeit mit G.F.P.	**Aufgaben:** Vernehmungen und Übersetzungen. **Im einzelnen:** Vernehmungen von Gefangenen und Überläufern nach Weisungen des I c (gegebenenfalls zus. mit O.3). Prüfen und Übersetzen erbeuteter fremdsprachiger Schriftstücke, Befehle oder sonstiger Druckwerke.
1. Schreiber		**2. Schreiber**	
Aufgaben: Hilfskraft für I c und O.3. Verantwortlich für innerdienstliche Angelegenheiten der Gruppe I c, Büromaterial usw.		**Aufgaben:** Hilfskraft für O.4 und Dolmetscher. Vertretung und Unterstützung des 1. Schreibers.	

24

Anlage 3

Beispiel für die Geschäftseinteilung der Gruppe I c bei einem Divisions-Kdo.

I c	O.3	Dolmetscher
Aufgaben: Leiter der Gruppe, insonderheit Feind-erkundung. **Im einzelnen:** Auswerten aller Ergebnisse der Aufklä-rung und Erkundung sowie sonstiger Nachrichten über den Feind. Anregung von Aufklärungsmaßnahmen bei I a zur Vervollständigung des Feind-bildes. I c-Vortrag beim Div.Kdr. und I a. Entwurf der Find- und Aufkl.-Ziffer für den Divisionsbefehl und gegebenenfalls Herausgabe eines Feindnachrichtenblat-tes. Verbindung zu vorgesetzten und be-nachbarten Kdo.-Behörden. Abwehr gegen Sabotage und Spionage. Maßnahmen für Geheimhaltung. Abwehr von Zersetzung, Kriegs- und Landesverrat. Überwachung des Personenverkehrs.	**Aufgaben:** Stellvertreter des I c, La-genkarte, fdl. Heer, Ver-bindung mit Nachr.-Führer. **Im einzelnen:** Sammeln aller Ergebnisse der Aufklärung und Erkun-dung sowie sonstiger Nachrichten über den Feind. Vernehmung von Gefan-genen und Überläufern (zusammen mit Dolmet-scher). Führung der geheimen Brieftagebücher.	**Aufgaben:** Vernehmungen und Überset-zungen. **Im einzelnen:** Vernehmungen von Gefange-nen und Überläufern nach Weisungen des I c (gegebenen-falls zusammen mit O.3). Prüfen und Übersetzen erbeute-ter fremdsprachiger Schriftstü-cke, Befehle oder sonstiger Druckwerke.

1. Schreiber	2. Schreiber
Aufgaben: Hilfskraft für I c. Verantwortlich für innerdienstliche Angelegenheiten der Gr. I c, Büromaterial usw.	**Aufgaben:** Hilfskraft für O.3 und Dolmetscher Vertretung und Unterstützung des 1. Schreibers.

<u>Anlage 4</u>

Aufgaben des mit der Abwehr beauftragten Offiziers.

1. Vorschlag für Maßnahmen im Bereich der fechtenden Truppen (Gefechtsgebiet) und abwehrpolizeiliche Maßnahmen rückwärts der fechtenden Truppen (rückwärtiges Armeegebiet und rückwärtiges Heeresgebiet) in Verbindung mit dem für die Versorgungstruppen zuständigen Generalstabsoffizier (O.Qu. und Qu.). Hierzu gehören:

a) Prüfung des Personenverkehrs im rückwärtigen Armee- und Heeresgebiet,

b) Absperrung des Aufmarsch- und Operationsgebietes für Zu- und Abreise von Zivilpersonen (Ausnutzung von Geländeabschnitten, Z. B. Flussläufen und Eisenbahnlinien).

c) In Zusammenarbeit mit dem Nachr.Führer Schutz der eigenen Drahtverbindungen gegen unbefugtes Mithören. Überwachung des eigenen und des zugelassenen fremden Fernmeldeverkehrs gegen unerlaubte Ausnutzung und Ermittlung illegalen Fernmeldeverkehrs, insbesondere Agenten- und Schwarzsende-Funkverkehrs. Überwachung oder Beschlagnahme privater Brieftaubenschläge. Fahndung nach fremden (Agenten-) Tauben.

d) Verbot an die Bevölkerung über Weitergabe militärischer Nachrichten,

e) Aussetzen von Geldpreisen an die Zivilbevölkerung für Dingfestmachung und Ablieferung von Agenten, einschl. der mit Flugzeugen oder Fallschirmen gelandeten Personen sowie von feindlichem Propagandamaterial aus Flugzeugen, Ballonen oder anderer Herkunft;

Festsetzung von Strafen für Nichtablieferung aufgefundener feindlicher Flugblätter.

2. Im Operationsgebiet kann ferner geboten sein:

a) Einschränkung des Personenverkehrs,

b) Waffenablieferungen,

c) Einschränkungen oder Verbot des Nachrichtenverkehrs, Postüberwachung (Brief-, Telegramm- und Fernsprechverkehr),

d) Beschlagnahme der Verkehrsmittel und Rundfunkgeräte,

e) Festsetzen zurückgebliebener Angehöriger der feindlichen Wehrmacht,

f) Beschlagnahme von privaten (Amateur-) Sendern,

g) Beschlagnahme von Druckereien.

3. Maßnahmen gegen Spionage, Sabotage, Zersetzung und zum Schutze des militärischen Geheimnisses. Dazu gehören u.a.:

a) Überwachung der Verschwiegenheit in Rede und Briefverkehr, besonders gegenüber feindlicher Zivilbevölkerung,

26

b) Vermeiden, rechtzeitiges Beseitigen oder Verdecken von militärischen Anschriften an Unterkünften, Kraftwagen, Fahrzeugen usw.,

c) Mitnahme aller Akten und Verbrennen aller nicht mehr benötigter Papiere beim Unterkunftswechsel,

d) Vermeiden der Mitgabe von wichtigen Befehlen, Vorschriften, Karten mit Einzeichnungen usw. an Aufklärungs- und Sicherungsorgane,

e) Einsatz der Geheimen Feldpolizei (vgl. H. Dv. G 150),

f) Überwachung der Behandlung von Verschlusssachen (vorsorglicher Geheimschutz, Verlustfälle).

Bestehen im Bereich des I c/A.O. bereits Abw.Stellen, so sind Spionage- und Sabotagefälle im Einvernehmen mit diesen zu bearbeiten.

Anlage 5

Beispiel für Einsatz einer H-Kompanie.

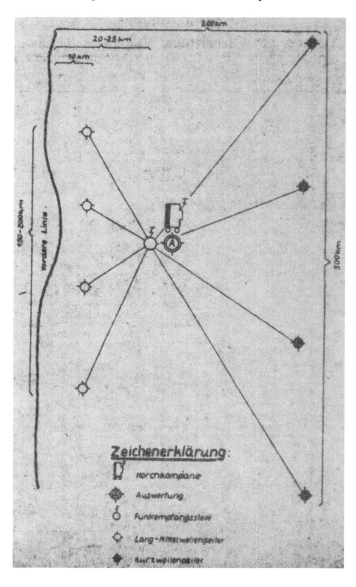

28

Anlage 6

Kriegsgefangene.
Verlauf der Vernehmung und des Abschubs

Kommandostelle	Weg der Gefangenen	Behandlung der Gefangenen
Fechtende Truppe	Schneller Abschub	Trennung der Offiziere, Unteroffiziere, Mannschaften. Entwaffnung. Stahlhelm, Gasmaske, Zeltbahn, Erkennungsmarke, Personalausweis, Wertsachen, Geld belassen. Abnahme der Papiere aller Offiziere; Papiere über Batl. Rgt. an Divisionskommando. – Vernehmung einzelner höchstens über die augenblickliche Kampfhandlung des Truppenteils und ohne Verzögerung des Abschubs zur Gefangenensammelstelle. – Abtrennung der Vernommenen von den anderen. – An Begleitkommando Transportzettel.
Divisionskommando		Durchsuchung auf Waffen. – Abnahme aller Papiere (außer Personalausweisen, wie Soldbüchern, Sanitäterausweisen usw.), nur Karten, Skizzen usw. mit Einzeichnungen aus dem Kampf zunächst zur Auswertung zurückbehalten, alle anderen Papiere sofort an Vernehmungsstelle des Armeeoberkommandos oder Generalkommandos. Zurückbehaltene Karten usw. baldigst nachreichen. – Vernehmung einzelner nur über die augenblickliche Kampfhandlung der Division. – Abtrennung der Vernommenen von den anderen. Ergebnis der Vernehmung an Vernehmungsstelle des Armeeoberkommandos. – Ordnen und Zählen nach Truppenteilen, Offizieren, Unteroffizieren, Mannschaften. Aufstellung summarischer Listen. Nötigenfalls Verpflegung. – An Begleitkommando Transportzettel. Nach Bedarf Anforderung entgegenkommenden Begleitkommandos bei Armeeoberkommando. – Masse beschleunigt abschieben.
	Gefangenen-Sammelstelle	
	Bewachung, Begleitkommando	
Generalkommando und Armee-Oberkommando	Gefangenensammelstellen	a) Durch das Generalkommando gelegentliche Vernehmung einzelner nur über die augenblickliche Kampfhandlung des Korps; Abtrennung dieser Vernommenen von den anderen.
	Abhördienst, Bewachung	b) Vernehmungsstelle für das Armeeoberkommando. Abschließende Vernehmung durch Offiziere und Dolmet-

		scher des Armeeoberkommandos nach dessen Anordnung. Erste Auswertung aller Papiere. Diese baldigst an Armeeoberkommando.
		c) Verpflegung, Unterbringung.
Quartiermeister		Ergänzung der Vernehmung, auch in Lazaretten.
	Durchgangs-Lgr. („Dulag")	Verpflegung, Unterbringung. Rückgabe von Schriftstücken nichtmilitärischen Inhalts. Abgabe besonders wichtiger Papiere an O.K.H., Gen Stb.H (O.Qu IV).
	Abhördienst, Bewachung, Begleitkommando, Abtransport in endgültiges Lager	Aufstellung namentlicher Listen. Baldiger Abtransport in Stammlager (Stalag).
	(Stammlager) „Stalag"	
	(Lazarette)	

Beutepapiere und Beutegerät.

Beutepapiere aller Art sind an den I c/A.O. des A.O.K. zu leiten.
Ebenso sind ihm aus der Beute an Waffen und Gerät einzelne, besonders auffallende oder neuartige Stücke unmittelbar zuzuleiten.

I c/A.O. leitet diese wie folgt weiter:

1. Beutepapiere operativen, taktischen, organisatorischen, persönlichen Inhalts, die über die Lage Aufschluss geben können, über die Heeresgruppe an das O.K.H. (zust. Abt. Fremde Heere).
2. Beutewaffen, Fahrzeuge usw. an Qu. (Beutesammelstelle), Gerätebeschreibungen, Vorschriften über Heeresgruppe an O.K.H., Einzelstücke neuer Waffen, auffallende Geschossteile u. dgl. an Heeres-Waffenamt, Berlin-Charlottenburg 2, Jebensstr. 1.
3. Nachrichtenmittel, Schlüsselmaschinen, Betriebsunterlagen an Nachr.Führer. Dieser teilt das Auswertungsergebnis dem I c mit.
4. Chemische Kampfmittel und Ausrüstungsstücke für den chemischen Krieg an das Heeres-Waffenamt unter Meldung an O.K.H.
5. Karten, Festpunktverzeichnisse, Vermessungsgerät an die Abt. für Kriegskarten- und Vermessungswesen, Berlin W 35, Lützowstr. 60.
6. Luftwaffengerät ist durch den nächsten Truppenteil unberührt zu bewachen. Es ist der nächsten Dienststelle der Luftwaffe mitzuteilen, die es alsdann übernimmt.

Auszüge aus der H.Dv.g 92 Handbuch für den Generalstabsdienst im Kriege

Teil I

1939

[...]

II. Führungsabteilung

[...]

b. Der 3. Generalstabsoffizier (Ic).

24. Ic ist Gehilfe des Ia bei Festlegung des Feindbildes. Die durch den Front- und geheimen Meldedienst 1) einlaufenden Feindnachrichten bilden außer dem eigenen Auftrag die wichtigste Grundlage für die Beurteilung der Lage und den

1) S. Nrn. 38 bis 46.

Entschluß. Die Feindlage ist nach den Grundsätzen der T.F. zu bearbeiten.

25. Enge Zusammenarbeit mit dem Ia ist wichtig
Ic muß von sich aus bestrebt sein, sich frühzeitig und vollständig über alle Einzelheiten der Lage und Absichten der Führung zu unterrichten. Feindnachrichten, die dem oberen Führer, dem Chef des GenSt oder dem Ia bei Ferngesprächen, Besuchen bei der Truppe usw. gemeldet werden, müssen dem Ic sofort zugeleitet werden; auch von wichtigen Erwägungen und Besprechungen ist er zu verständigen.

26. Ic ist verantwortlich für das Zusammenwirken aller Stellen und Einheiten, die der Nachrichtengewinnung dienen.
Ic sorgt für den einheitlichen Ansatz der Aufklärung in der Luft und auf der Erde auf Grund des Operationsbefehls und der Absichten der Führung und bringt die neu anzusetzende Aufklärung in Übereinstimmung mit den vorhandenen Aufklärungsergebnissen.

Hierzu ist enge Zusammenarbeit mit dem Ic beim Koluft 1) und mit Nachr. notwendig. Ic hat auch enge Verbindung zur Truppe zu halten; seine Arbeit wird erleichtert wenn er Kommandeure und Adjutanten persönlich kennt. Rücksprachen mit vorgesetzten, unterstellten oder benachbarten Kommandobehörden, Anfragen bei Verbandplätzen, Gefangenen und Beutesammelstellen u.a.m. ergänzen und berichtigen das gewonnene Bild.

27. In Spannungszeiten läuft die Mehrzahl der Feindnachrichten über den Dienstweg der Abw. Abt.I (OKW), da sie, wie im Frieden, meist Quellen des geb. Meldedienstes entstammen. Kommt es im Laufe der Spannungszeiten zu einer Grenzbesetzung oder

1) Beim GenKdo und Div.Kdo. mit dem Kdr der Flakabt und Staffelkapitän der Aufklärungsstaffel (H) bzw.
dessen Fliegerverbindungsoffizier.

einem Aufmarsch und damit durch taktische Beobachtung und Erkundung zu weiteren Feindnachrichten, so gehen diese auf dem Ic Dienstweg
weiter.

Im Kriege gibt es für die Weitergabe der Nachrichten
die auf taktischem Wege aufkommen, nur den Ic Dienstweg. Unabhängig davon arbeitet der geb. Meldedienst
mit seinem bodenständigen Netz weiter und gibt seine
Nachrichten auf dem eigenen Dienstwege an OKW Abw.
Abt. 1 weiter.

28. Die Aufklärungsziele sind verschieden.
Während die Div, im wesentlichen nur über den ihr
gegenüberstehenden Gegner unterrichtet zu sein
braucht, muß das Korps und die Armee Aufstellung
und Bewegung der Masse der feindl. Kräfte kennen.

29. Aus den vielen sich oft widersprechenden Einzelnachrichten soll in kurzer Zeit ein möglichst
klares Bild geschaffen werden. Alle Ergebnisse
sind auf ihren Wert zu prüfen. Tatsachen und Vermutungen sind zu unterscheiden.

30. Ic führt die Feindlagenkarte, in der die Ergebnisse der Aufklärung zu bestimmten Zeiten festge-
halten werden. Diese sind so zu wählen, daß für
bevorstehende Entschlüsse möglichst neue Grundlagen
eingetragen sind.

Die Feindlagenkarte muß laufend gehalten werden.
Erkanntes und Vermutetes muß möglichst farbig
unterschieden, wenn nötig mit Erläuterungen versehen und für jeden anderen verständlich sein.

31. Ic trägt dem Ia, bei wichtigen Nachrichten in
dessen Gegenwart dem Chef des GenSt vor.

32. Ic macht dem Ia einen bestimmten Vorschlag für
die Feindziffern und die Ziffer "Aufklärung". Wenn
es nötig ist, weitere Einzelheiten über den Feind
zu geben, so kann die Feindziffer durch ein beson-
deres Blatt über die Feindlage ergänzt werden.

33. Beim GenKdo. und Div.Kdo. arbeitet Ic sinnge-

                                        mäß.

                                                    [...]

Front und geheimer Meldedienst.

38. Das Feindbild gewinnt Ic durch den Front und geb. Meldedienst.

Hauptsächliche Quellen für die Nachrichtenbeschaffung sind:

a) allgemeine Kenntnisse der Verhältnisse beim Gegner,
b) Aufklärung aus der Luft und auf der Erde,
c) besondere Mittel.

39. Zu a) Die allgemeinen Kenntnisse der Verhältnisse beim Gegner erstrecken sich auf:

a) Land und Volk, die staatliche Organisation in Frieden und Krieg,
b) die Wehrmacht, ihre Bewaffnung, Ausrüstung, Gliederung und Führung,
c) richtige Verwertung aller sonstigen Kräfte, welche die feindliche Wehrmacht unterstützen.

Diese Tatsachen sind zum großen Teil schon im Frieden bekannt. Sie werden vom OKH, GenSt d.H, OQu IV bearbeitet, in den Orientierungsheften festgelegt und auf dem laufenden gehalten.

40. Alle Kommandobehörden werden mit den jährlich im Frühjahr erscheinenden Ausarbeitungen über die Kriegswehrmacht der fremden Staaten ausgestattet. Die Kommandobehörden erhalten ferner als Teil IV der Mob.Kalender Mappen mit Unterlagen über diejenigen fremden Heere, gegen die sie voraussichtlich eingesetzt werden.

41. Zu b) Aufklärung aus der Luft und auf der Erde. Grundsätze für die Aufklärung s.T.F.

42. Zu c) Zu den besonderen Mitteln gehören: Aufklärung durch Nachrichtenmittel s. Abschnitt VI B,

   Vernehmung von Gefangenen, Überläufern, Einwohnern, Auswertung von Beutepapieren, fremde Presse, geb. Meldedienst.

43. Ic beim A.Ob.Kdo. ist die Hauptstelle für die Vernehmung von Gefangenen, Überläufern, Einwohnern und für Auswertung von Beutepapieren (Befehle, Karten, Sold und Notizbücher, Briefe, Postkarten, Zeitungen, Lichtbilder, Filme und Filmrollen, Akten, Telegrammstreifen, Geheimschlüssel, Rufzeichen, Kode, Signalbücher, Decknamenlisten usw.), die bei Gefallenen, Gefangenen, Überläufern, Brieftauben, Meldehunden, in fdl. Gefechtsständen und Stellungen, bei Behörden, Schriftleitungen, Post und Telegraphenanstalten, Rundfunkeinrichtungen, auf Bahnhöfen, in Briefkästen, erbeuteten Fahrzeugen Flugzeugen, Panzerwagen, Ballonen usw. gefunden werden.

44. Truppenteile und Div.Kdos. (I c) haben sich auf kurze Vernehmung der Gefangenen hinsichtlich der augenblicklichen Gefechtslage zu beschränken und in Beutepapiere nur für Gefechtszwecke Ensicht zu nehmen (Nr. 28).

Die planmäßige Vernehmung und die erste Auswertung aller Papiere läßt das A.Ob.Kdo. (Ic) durch Dol-

metscher in der Regel in den Gefangenensammel-
stellen der Armeekorps durchführen. Die eingehende
Auswertung der Papiere folgt dann beim A.Ob.Kdo.

45. Die gesamte fremde Presse wird durch das Reichs-
ministerium für Volksaufklärung und Propaganda ge-
prüft. Die für die Kreigsführung wichtigen Nachrichten sammelt und bearbeitet OKW, Amtsgruppe
Auslandnachrichten und Abwehr (A Ausl/Abw).

46. Die Durchführung des geb. Meldedienstes (Agen-
tendienst an der Front) im Bereich des A.Ob.Kdos.
ist Aufgabe des AO. Enge Zusammenarbeit mit der
örtlich zuständigen Abwehrstelle ist erforderlich.
Der geb. Meldedienst über das neutrale Ausland wird
ausschließlich durch OKW. Abwehrabt. I, ausgeübt.

47. Aufgaben des Sonderdienstes der Abwehr sind:

a) die Minderheiten und staaatsfeindlichen Bewegungen in fremden Staaten zu beobachten und
ihren Einsatz im Kriegsfalle vorzubereiten.
b) die gesamte Kriegssabotage nach den Weisungen
der Wehrmachtteile vorzubereiten und durchzuführen,
c) die Wehrmacht der in Frage kommenden Feind-
staaten zu zersetzen.

Ein Sachbearbeiter dieses Sonderdienstes befindet
sich in der Gruppe Aus/Abw beim OKW. Schriftwechsel bearbeitet beim Ob.Kdo.Heer.Gru. und beim
A.Ob.Kdo. der AO.

H.Dv.g. 17/1 Aufklärung durch Nachrichtenmittel – Heft 1: Die taktische und Gefechtsfeldaufklärung durch Nachrichtenmittel (Funk- und Drahtaufklärung)

I. Der Nachrichtenaufklärungszug

1. Der Nachrichtenaufklärungszug der Divisionsfunkkompanie betreibt die taktische und Gefechts-Aufklärung. Er verfügt dazu über Funktrupps zur Funkaufklärung (Funkaufklärungstrupps)[1] und einem Trupp zur Drahtaufklärung (Drahtaufklärungstrupp)[2]. Zur Auswertung der von den Trupps gemeldeten Aufklärungsergebnisse wird die Auswertestelle des Zuges eingesetzt. Der Führer des Aufklärungszuges hat mit dem Feindlagebearbeiter (I c) der Division enge Fühlung zu halten.

2. Die Trupps sind so einzusetzen, dass sie möglichst gute Empfangsverhältnisse haben. Sie werden daher im Allgemeinen weit vorn und so eingesetzt, dass sie in der Nähe der Gefechtsstände von Kompanien, Bataillonen oder Regimentern liegen.
In der Regel werden die Funkaufklärungstrupps und der Drahtaufklärungstrupp eingesetzt. Es kann aber auch Lagen geben, in denen nur Funkaufklärung oder nur Drahtaufklärung betrieben wird. Daher ist der Zug reichlich mit Gerät ausgestattet. Es ist jedoch falsch, stets das gesamte Gerät einzusetzen. Bei der Ausbildung ist zu berücksichtigen, dass die Funkaufklärungstrupps im Bedarfsfalle zur Verstärkung der Drahtaufklärungstrupps eingesetzt werden können und umgekehrt.
Das Überwachen des eigenen Funk- und Fernsprechverkehrs durch den Nachrichtenaufklärungszug ist Ausnahme.

3. Die Funkaufklärungstrupps und der Drahtaufklärungstrupp reichen alle aufgenommenen Nachrichten – auch anscheinend unwichtige – einschließlich der bereits ausgewerteten Ergebnisse an die Auswertestelle des Zuges ein. Wichtige Nachrichten werden umgehend, die übrigen werden in vom Zugführer der Lage gemäß befohlenen Zeitabständen übermittelt.

4. Die Aufklärungsergebnisse müssen schnellstens taktischen Stellen zugeleitet werden, damit rechtzeitige Gegenmaßnahmen der eigenen Truppe ausgelöst werden können. Daher werden die aufgenommenen Nachrichten, soweit möglich, bereits durch die Trupps ausgewertet (Vorauswertung) und die Ergebnisse, die sofortige Maßnahmen erfordern, dem nächstgelegenen Truppenteil gemeldet. Den Truppführern

---

[1] Die Geräteausstattung der Trupps ist vorläufig den Beständen der Funkp. Entnommen. Sonderausstattung ist beabsichtigt.
[2] Bezeichnung in der St. A.R. zurzeit noch „Lauschtrupp".

sind daher für die Vorauswertung die erforderlichen Betriebsunterlagen auszugeben (Ziffer 7). Der Einsatz der Trupps in Feindnähe bedingt oft aus Geheimhaltungsgründen Beschränkung in der Ausgabe der Betriebsunterlagen.

5. Die Übermittlung der Aufklärungsergebnisse auf dem Draht- und Funkwege erfordert die größte Vorsicht. Dies gilt besonders für die Übermittlung von Meldungen der Funkaufklärungs- und der Drahtaufklärungstrupps an die Auswertung. Übermittlung auf dem Funkwege erstreckt sich hier auf seltene Ausnahmen. Die Meldungen müssen dann verschlüsselt sein. Erforderlichenfalls ist Verstärkung des Zuges durch Melder zu beantragen.

Die Auswertestelle des Zuges

6. Die Auswertestelle des Zuges ist so einzusetzen, dass gute Verbindungsmöglichkeiten zum Div.-Gefechtsstand und zu den Funk- und Drahtaufklärungstrupps bestehen. Die Auswertestelle wertet das anfallende Erkundungsmaterial aus.

7. Es ist anzustreben, dass die Auswertestelle des Nachrichtenaufklärungszuges, soweit die Unterlagen hierfür vorliegen, über folgende Hilfsmittel verfügt:

Auszug aus der Kriegsgliederung des Gegners,
Gliederung der der Division gegenüberliegenden Feindverbände,
laufend zu berichtigende Feindlagekarten,
militärische Wörterbücher,
Rufzeichen- und Frequenzverteilung der eigenen Kommandobehörde,
Übersicht über den feindlichen Funkverkehr (Funkgerätetypen und ihr Einsatz, Verkehrsbeschreibungen, Frequenzlisten, Rufnamenverzeichnisse, Verkehrspläne),
Namenkartei des Gegners,
Truppenkartei des Gegners,
Abkürzungen, Signale usw. des Feindes.

Diese Hilfsmittel müssen zum Teil aus den laufenden Ergebnissen der Beobachtung gewonnen und durch Austausch zwischen dem Nachrichtenaufklärungszug und der nächstgelegenen Horchkompanie ergänzt und vervollständigt werden.

Den Trupps sind die Unterlagen für die Vorauswertung mitzugeben, soweit es im Hinblick auf die Feindnähe aus Geheimhaltungsgründen tragbar ist.

8. Für die Auswertung ist wichtig:

1. Erkennen von Angriffs-, Verteidigungs- und Rückzugsabsichten und von Schwerpunktbildungen, Einsatz von Verstärkungen und Ablösungen,
2. Standort und Standortwechsel der feindlichen Stäbe,

3. Auftreten von Panzerkampfwagenverbänden,
4. Stellungen, Stellungswechsel und beabsichtigte Ziele der feindlichen Artillerie,
5. Lage des eigenen Artilleriefeuers,
6. Gliederung, Einsatz und Geräteausstattung des feindlichen Nachrichtenwesens.

Wichtig sind ferner Nachrichten über Gliederung, Gruppierung, Gefechtsstärke, Verluste, Beurlaubungen, Ausrüstung, Bewaffnung, Verpflegung, Gesundheitszustand und Stimmung des Feindes sowie Namensangaben. Bei längerem Einsatz sind das - Erfassen und Auswerten der Tagesmeldungen des Gegners und die Unterhaltung des Nachrichtenpersonals besonders aufschlussreich.

Meldungen des feindlichen Artilleriebeobachters geben Anhaltspunkte über den Standort der Batterie. Feindliche Angaben von Verlusten lassen auf die Lage des eigenen Artilleriefeuers schließen.

9. Auch zunächst unwichtig scheinende Informationen können Anhaltspunkte geben. Sie können in Zusammenhang mit den Ergebnissen anderer Aufklärung von - Bedeutung sein. Ebenso können An- und Abschwellen des Funk- und Fernsprechverkehrs, zahlreiche Leitungsproben sowie Funkstille Schlüsse zulassen.

10. Sind Sprüche verstümmelt oder einzelne Worte unklar, so ist sinngemäß - Ergänzung zu versuchen. Ortsnamen können oft mithilfe der Karte ergänzt werden. Derartige Ergänzungen sind aber als solche oder als Vermutungen kenntlich zu machen. Es ist verboten, Vermutungen als Tatsachen hinzustellen.

11. Es muss mit der Möglichkeit gerechnet werden, dass der Gegner „verschleierte" - Sprüche absetzt, indem er hinter einem äußerlich belanglos erscheinenden Text einen geheimen Inhalt verbirgt.

12. Ferner muss mit beabsichtigter Irreführung (Täuschung) gerechnet werden. Einem Klartextspruch gegenüber, der im Gegensatz zu sonstiger Gepflogenheit eine wichtige Nachricht enthält, ist Misstrauen geboten. Gegebenenfalls ist bei Weitergabe der Meldung auf die Möglichkeit einer Irreführung hinzuweisen.

13. Die Ergebnisse sind – sofern es sich um besonders wichtige Nachrichten handelt - (auch Teilergebnisse) – dem Feindlagebearbeiter der Division (I c) umgehend zu übermitteln. Im Übrigen sind sie als Lagemeldungen täglich oder in kürzeren Zeitabständen einzureichen. Es empfiehlt sich, den Lagemeldungen Skizzen beizufügen. Diese Skizzen enthalten, soweit bekannt:

a) Frontverlauf,
b) taktische Zeichen und Nummern der erkannten Truppenverbände mit Zeitangabe,
c) Abschnittsgrenzen,

d) bei nicht geklärtem Standort von Verbänden den Standort und die ungefähre Lage der Funk- und Fernsprechstelle mit Zeitangabe,
e) Bewegungen von Verbänden oder Funktrupps mit Zeitangabe,
f) Absicht des Feindes,
g) Geländepunkte zum Auflegen der Skizze auf die Karte,
h) Zeichenerklärung.

Nicht einwandfreie Feststellungen oder Vermutungen müssen durch Fragezeichen oder einen Vermerk gekennzeichnet sein. Nachrichten, deren Auswertung dem Nachrichtenaufklärungszug nicht gelingt, und Auswerteergebnisse, die für die operative Funkaufklärung wichtig sind, sind der nächsten Horchkompanie und gegebenenfalls auch einer in der Nähe der Division gelegenen Funksicherungsstelle zuzuleiten.

II. Die Funkaufklärung

14. Die Funkaufklärung des Nachrichtenaufklärungszuges wird durch Funkaufklärungstrupps ausgeübt.

15. Die Funkaufklärungstrupps sollen in erster Linie den Funksprechverkehr des Gegners erfassen. Soweit der Feind mit Truppenfunkstellen offenen oder ungenügend getarnten Funktastverkehr betreibt, ist auch dieser Verkehr aufzunehmen. Ferner kann der Funkaufklärungstrupp Funkverkehrsbeziehungen erkennen und dadurch Unterlagen für das Erfassen der Gliederung und Stärke des Gegners geben. Außerdem kann schon aus dem Auftreten bestimmter Funkgeräte oder aus besonderen Verkehrsverfahren (z. B. Funkgeräte und Funkverkehrsverfahren der Panzerverbände, Funkverkehrsverfahren der Beob.-Abteilungen und Flakverbände) die Art des betreffenden Verbandes erkannt werden.

16. Der Funkaufklärungstrupp besteht aus dem Truppführer, den Funkern und den Dolmetschern. Die Dolmetscher müssen außer der Fremdsprache auch die militärischen Fachausdrücke beherrschen und außerdem in der Lage sein, das Gerät zu bedienen.

17. Die Funkaufklärungstrupps sind möglichst weit vorn einzusetzen, um guten Empfang zu bekommen. Dabei ist Einsatz in Nähe eines Bataillons- oder Regimentsgefechtsstandes zweckmäßig, um schnellstes Übermitteln der Ergebnisse an die Truppe zu ermöglichen.

18. Die Hörer müssen an der Auswertung mitarbeiten. Ein Versagen in dieser Beziehung kann nur selten durch spätere Auswertung ausgeglichen werden, da viele Merkmale im fremden Funkverkehr nur von dem Hörer erfasst werden können.
Bereits beim Aufnehmen des fremden Nachrichtenverkehrs müssen die Hörer erkennen, ob es sich um eine sofort weiterzugebende Nachricht handelt oder nicht.

Sofortmeldungen sind
1. der nächstgelegenen Befehlsstelle,
2. der Auswertestelle des Zuges
umgehend zuzuleiten.

19. Besonders wichtig und daher sofort zu melden sind Nachrichten, die sofortige Gegenmaßnahmen erfordern, z. B. Angriffs- oder Rückzugsabsichten, Ablösungen und Umgruppierungen, Zielangaben und Meldungen feindlicher Artilleriebeobachter über erkannte Truppen und Stäbe sowie Mitteilungen über Wirkung des eigenen Artilleriefeuers.

20. Der Hörer führt ein Heft, in das alle aufgenommenen Nachrichten – auch zunächst unwichtig erscheinende – in der Fremdsprache niedergeschrieben werden. Nicht einwandfrei Gehörtes ist mit Fragezeichen zu versehen oder durch Punkte anzudeuten. Wenn möglich, ist die Zahl fehlender Worte, Zeichen oder Gruppen anzugeben.

21. Aufgrund der Aufzeichnungen im Heft sind baldigst die Meldungen an die Auswertestelle des Zuges auszuarbeiten. Die Meldungen werden auf einen Vordruck (siehe Anlage 1) geschrieben. Sie sind – soweit möglich – auszuwerten.
Für die Vorauswertung durch den Funkaufklärungstrupp gelten die Ziffern 6 bis 13 sinngemäß.

22. In Spalte „Bemerkungen" des Vordrucks werden die für die Auswertung der Aufklärungsergebnisse wichtigen Angaben über Vermutungen und Eindrücke des Hörers aufgenommen. Dazu gehören Angaben über Ort und Eigenart des Gesprächs, z. B. „scherzhaft", „aufgeregt", „gedrückte Stimmung", Vermutungen über Tarnbezeichnungen, Summerrufe, Name, Dienstgrad und Mundart des Sprechenden u. a. m.

23. Über die Nachrichtenverbindungen zur Übermittlung an die Auswertestelle des Zuges siehe Ziffer 5.

III. Die Drahtaufklärung

Gliederung der Drahtaufklärung

24. Die Drahtaufklärung erfasst den Drahtnachrichtenverkehr (Fernsprech- und Telegraphenverkehr) des Feindes.
    a) durch Anschalten oder Ankoppeln an Leitungen,
    b) durch Ausnutzen der Fernwirkung von Erdströmen (Lauschdienst).

25. Das Anschalten und Ankoppeln an Leitungen wird durch die zu den Nachrichtenaufklärungszügen gehörenden Drahtaufklärungstrupps sowie durch Aufklärungsabteilungen und Fallschirmtruppen ausgeführt.

Das Ausnutzen der Fernwirkung von Erdströmen (Lauschdienst) wird durch die Drahtaufklärungstrupps ausgeführt. Es ist möglich

    a)   durch Auslegen von Lauschleitungen,

    b)   durch Auslegen von Drahtschleifen.

Einsatzmöglichkeiten des Drahtaufklärungstrupps

26. Im Vormarsch, im schnell fortschreitenden Angriff und bei der Verfolgung schaltet sich der Drahtaufklärungstrupp an vorgefundene feindwärts führende Leitungen an. Ferner kann er sich im hinhaltenden Widerstand und beim Rückzug oft an feindwärts führende Leitungen anschalten oder ankoppeln oder Fernsprechleitungen zu Lauschleitungen benutzen.

Bei der Verteidigung, bei der Bereitstellung und beim Angriff sowie im Stellungskrieg wird der Drahtaufklärungstrupp zum Lauschdienst gemäß Ziffer 24 b eingesetzt. Außerdem kann es nachts gelingen, an die abzuhörenden Leitungen anzuschalten.

Anschalten und Ankoppeln

27. Zum Anschalten oder Ankoppeln[1] werden Leitungen benutzt, die vom eigenen Gebiet in das Gebiet des Feindes hinüberführen oder ganz im Feindgebiet liegen.

Das Ankoppeln ist dem Anschalten vorzuziehen, da unmittelbares Anschalten die Verständigung schwächt und den Feind warnt.

Zum Ankoppeln wird am besten die Lauschzange benutzt. Sie wirkt induktiv. Die abzuhörende Leitung wird nach Aufklappen des Deckels in das Innere des Eisenringes gelegt. Bei Doppelleitungen darf nur eine der Leitungen eingelegt werden. Der Lauschempfänger wird an beide Klemmen angeschlossen.

Andere Arten des Ankoppelns zeigen die Bilder 1 bis 3.

---

[1] Im Frieden darf das Anschalten oder Ankoppeln mit Rücksicht auf das Post- und Telegraphengeheimnis nur an wehrmachteigenen Anlagen oder an ausdrücklich für diesen Zweck von der DRP freigegebenen Leitungen geübt werden.

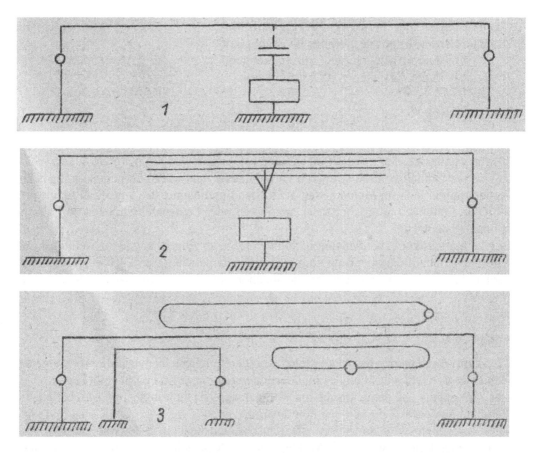

Zur Schaltung 1 wird ein Kondensator verwandt. Die Schaltung nach Bild 2 ist unter Zuhilfenahme totgelegter Leitungen am Gestänge, die gleichlaufend zur abzuhörenden Leitung liegen, möglich. Feststellung durch den Gegner ist schwierig. Die Schaltung nach Bild 3 kann der Feind ebenfalls nur schwer erkennen. Diese Schaltung kann jedoch nur selten ausgeführt werden.

Ausnutzen der Fernwirkung von Erdströmen (Lauschdienst)

28. Bei Einfachleitungen wird die Erde als Rückleitung benutzt. Die Erdströme breiten sich je nachdem Erdwiderstand aus. Sie gelangen über Erden („Lauscherden") und Leitungen („Lauschleitungen") an den Lauschempfänger. Im Lauschempfänger werden sie durch Verstärkung hörbar gemacht. Die Lautstärke ist um so größer, je näher die Lauschenden an die abzulauschenden Leitungen herangebracht werden können.

44

An Stelle von Lauschleitungen werden Schleifen benutzt, wenn Lauscherden nicht angelegt werden können oder keine Ergebnisse bringen.

29. Ein Drahtaufklärungstrupp kann durch Auslegen von Lauschleitungen und -schleifen einen Abschnitt von 4 bis 5 Kilometern beobachten. Aufklärungsergebnisse können bei günstigem Verlauf der abzuhörenden Leitung bis zu etwa 3 km Tiefe hinter den vordersten Teilen des Feindes gewonnen werden.

30. Für die Wahl des Platzes der Lauschstelle sind zu berücksichtigen:

a) die Lage der vordersten Teile des Feindes und die taktische Lage,

b) die Empfangsverhältnisse (Gelände- und Bodenbeschaffenheit, Starkstromleitungen und Starkstromhindernisse, Verlauf der eigenen Fernsprechleitungen, Störungsmöglichkeit durch Kraftfahrzeuge),

c) gute Nachrichtenverbindungen. Einrichten der Lauschstelle in der Nähe eines Truppengefechtsstandes ist anzustreben, damit wichtige Ergebnisse sofort den nächsten Truppenteilen übermittelt werden können.

d) Vermutlicher Verlauf der feindlichen Fernsprechleitungen. Die Ergebnisse der Funkaufklärung können Anhaltspunkte geben. Befehlsstellen sind meist dort, wo Funkstellen sind. Zwischen den Befehlsstellen liegen meist Fernsprechleitungen.

e) Deckung gegen Sicht und Schuss.

f) Schutz der Lauschleitungen gegen äußere Einwirkungen (z. B. Zerstörungen durch Fahrzeuge und Kraftfahrzeuge).

31. Die Bodenverhältnisse sind für den Empfang von besonderer Bedeutung.

Bei hohem Grundwasserspiegel ist der Erdwiderstand gering, und die Stromfäden der Erdrückleitung schließen sich dicht zusammen. Abhören ist dann nur auf kürzere Entfernungen möglich. In bergigen Gegenden verlaufen die Stromfäden meist auf der Erdoberfläche und ziehen sich weiter auseinander, sodass sich die Wirkung auf größere Entfernungen erstreckt. Eine dünne, zusammenhängende, gut leitende Humusschicht auf Felsuntergrund ist günstiger als trockener, sandiger, steiniger oder zerklüfteter Boden. Wasserläufe beeinflussen die Ausbreitung der Erdströme stark, da sie die Stromfäden in sich hineinziehen. Je nach Lage der Wasserläufe zu der Sprechleitung können sie sich günstig oder ungünstig für das Lauschen auswirken. Günstig ist die Anordnung, wenn die Lauschleitungen zwischen Sprechleitung und Wasserlauf liegen oder der Wasserlauf selbst für die Anbringung von Erden ausgenutzt werden kann. Nicht zugängliche Wasserläufe sind ungünstig, da sie nach der Lauschseite hin abschirmend wirken. Auf die Benutzung der H.Dv.g 40 (Mil. Geographische Einzelangaben) wird hingewiesen.

32. Von großem Einfluss sind ferner die Starkstromverhältnisse. Starkstrom breitet sich in der Erde genau so aus wie Schwachstrom (Sprechstrom). Ein an und für sich

gut für Lauschdienst geeignetes Gelände kann durch Starkstrom vollkommen ungeeignet werden.

Einrichten der Lauschstelle (Anlage 2)

33. Zunächst sind etwa 3 Lauschleitungen gemäß Anlage 2 zu ziehen und eine Erde unmittelbar an der Lauschstelle anzulegen. Die Lauschleitungen, die Ergebnisse bringen, werden sodann gut ausgebaut. Im Bedarfsfalle sind weitere Lauschleitungen zu ziehen.

34. Die Lauschleitungen sind an den Endstellen gut zu erden. Verwendung verschiedener Metalle ist ungünstig, weil hierdurch Gegenströme auftreten können, die Störungen zur Folge haben.

Behelfserden sind möglichst bald durch wirkungsvolle Erdungen zu ersetzen. Wasserläufe, Sumpfadern, Eisenbahnschienen, verlassene Drahtleitungen oder Drahthindernisse, die in feindliche Stellungen führen, können anstelle von Erden verwendet werden und liefern zuweilen gute Ergebnisse.

Die Lauschleitungen müssen mit der Erdung sorgfältig verbunden und bis zum Lauschgerät gut isoliert sein.

35. Die Zahl der Lauschleitungen ist abhängig von dem Aufbauplatz, den Empfangsverhältnissen und von der Möglichkeit, sie zu unterhalten. Lauschleitungen, die keine Ergebnisse bringen, sind abzubauen.

Die Länge der Lauschleitungen richtet sich nach den örtlichen Verhältnissen. Im Allgemeinen sollen Lauschleitungen nicht über 1 km lang sein.

36. Durch strahlenförmiges Einführen an der Lauschstelle muss vermieden werden, dass alle Lauschleitungen zugleich durch feindliches Feuer zerstört werden.

Die Lauschleitungen sollen die eigenen Fernsprechleitungen weder kreuzen noch parallel zu ihnen verlaufen.

37. Der Verlauf von Lauschleitungen, die über die vordere Linie hinausführen, muss von Zeit zu Zeit überprüft werden, da damit zu rechnen ist, dass der Feind sich anschließt und seinerseits abhört. Sofortige Nachprüfung ist erforderlich, wenn eine der Lauschleitungen am Schaltbrett plötzlich keinen oder wesentlich anderen Ausschlag gibt.

38. Wie bereits in Ziffer 28 erwähnt, werden Schleifen anstelle von Lauschleitungen verlegt, wenn Erdungen nicht möglich sind oder keine genügenden Ergebnisse bringen (z. B. infolge von Starkstrom oder Erdgeräuschen).

Zu der Schleife (siehe Anlage 3 bis 6) wird gut isolierter Draht (z. B. Feldkabel) verwendet, der in Dreiecksform mit der Spitze zur Lauschstelle oder in Vierecksform so auf den Erdboden verlegt wird, dass zwei Seiten des Vierecks mit der Feindlinie gleich verlaufen.

Die Wirksamkeit der Schleife nimmt mit der Größe der von ihr begrenzten Bodenfläche zu. Die Kantenlänge des Vierecks muss im Allgemeinen etwa 120 bis 250 m, die Gesamtschleifenlänge etwa 180 bis 1000 m betragen. Wenn möglich, wird die Schleifenlänge bis zu 2 km vergrößert. Bedecken der Schleife durch eine dünne Schicht Erde oder Rasen ist zweckmäßig.

Vorauswertung, Meldeübermittlung

39. Für Vorauswertung durch den Drahtaufklärungstrupp und für Meldeübermittlung gelten Ziffern 6 bis 13 sinngemäß.

Vordruck
für Meldungen an die Auswertestelle.

Funkaufklärungs=
Drahtaufklärungs= trupp: .... Standort: ....

Aufgenommen durch: ....

Bemerkungen des Hörers: ....
(z. B. starke Geräusche, Gewitter usw.)

Datum	Uhrzeit	Sprecher	Inhalt	Bemerkungen

wenden!

48

Vordruck
für Meldungen an die Auswertestelle.

Funkaufklärungs=
Drahtaufklärungs= trupp: .... Standort: ....

Aufgenommen durch): ....

Bemerkungen des Hörers: ....
(z. B. starke Geräusche, Gewitter usw.)

Datum	Uhrzeit	Sprecher	Inhalt	Bemerkungen

wenden!

49

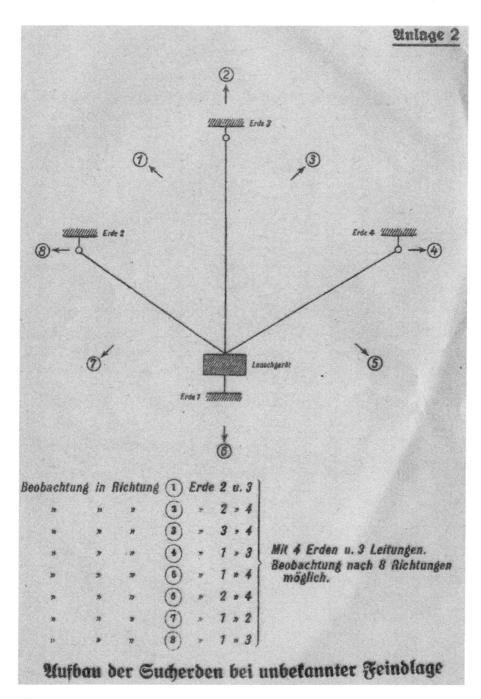

Beobachtung in Richtung	①	Erde 2 u. 3
„ „ „	②	„ 2 » 4
„ „ „	③	„ 3 » 4
„ „ „	④	„ 1 » 3
„ „ „	⑤	„ 1 » 4
„ „ „	⑥	„ 2 » 4
„ „ „	⑦	„ 1 » 2
„ „ „	⑧	„ 1 » 3

Mit 4 Erden u. 3 Leitungen.
Beobachtung nach 8 Richtungen
möglich.

Aufbau der Sucherden bei unbekannter Feindlage

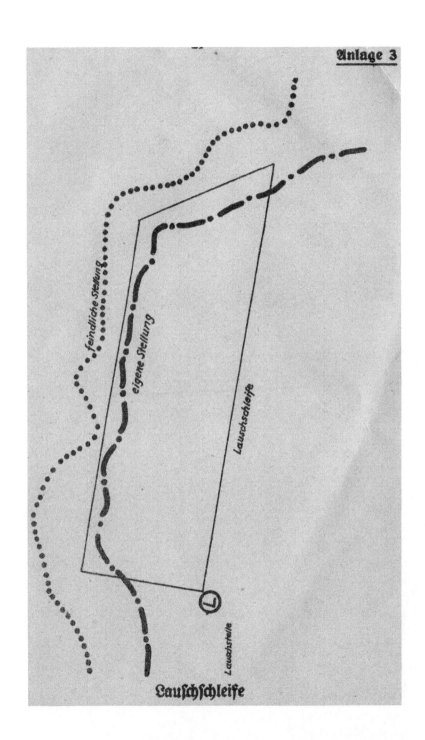

feindliche Stellung
eigene Stellung
Lauschschleife
L
Lauschstelle

Lauschschleife

51

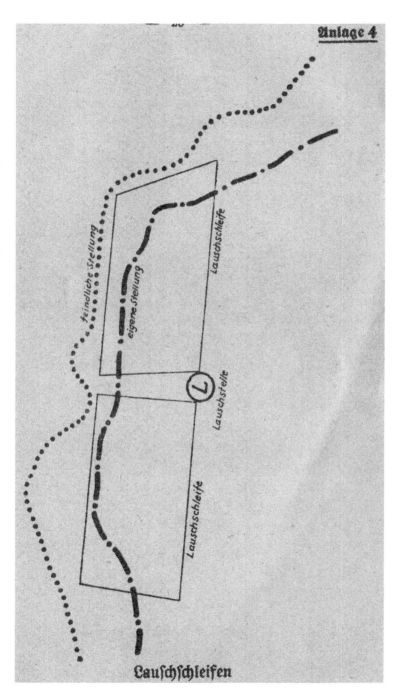

Lauschschleifen

52

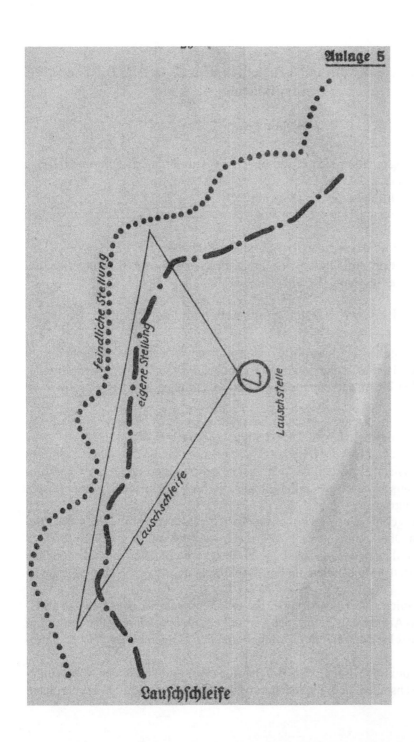

feindliche Stellung

eigene Stellung

Lauschschleife

Lauschstelle

L

Lauschschleife

53

H.Dv.g. 17/2 Aufklärung durch Nachrichtenmittel – Heft 2: Die operative Funkaufklärung

I. Allgemeines

1. Die Funkaufklärung gliedert sich in die operative Aufklärung und in die taktische und Gefechtsaufklärung.

2. Die operative Funkaufklärung wird ausgeübt:

    a) durch die Festen Horchstellen mit vorgeschobenen Funksicherungsstellen (fester H.-Dienst)

    b) durch die Horchkompanien (beweglicher H.-Dienst).

Die taktische und Gefechtsaufklärung wird durch die Nachrichtenaufklärungszüge der Div.-Funkkompanien ausgeführt. Hierüber siehe H. Dv. G. 17 Heft 1.

II. Aufgaben und Einsatz der festen Horchstellen und der Horchkompanien

3. Die Festen Horchstellen erhalten im Frieden und im Kriege ihre Aufgaben vom Oberkommando des Heeres zugewiesen. Sie beobachten den Funkverkehr fremder Wehrmächte und den innerstaatlichen und zwischenstaatlichen Funkverkehr des Auslands.

Die Festen Horchstellen können auch zum Einsatz im Gelände befehlsmäßig beweglich gemacht werden (beweglicher H.-Dienst ähnlich dem der H.-Kp.).

Die Beobachtungsergebnisse von fremden Wehrmächten und vom innerstaatlichen Funkverkehr des Auslandes werden bei den Festen Horchstellen und beim Oberkommando des Heeres ausgewertet. Dasselbe gilt für die im Op.-Gebiet liegenden festen Horchstellen im Kriege.

Die Beobachtungsergebnisse des zwischenstaatlichen Funkverkehrs werden im Frieden und Krieg beim Oberkommando der Wehrmacht ausgewertet.

Den Festen Horchstellen sind vorgeschobene Funksicherungsstellen angegliedert. Sie melden an die Festen Horchstellen und nachrichtlich an in der Nähe eingesetzte Horchkompanien.

4. Die Horchkompanien sind Heerestruppe. Sie erhalten zunächst allgemeine Aufklärungsaufgaben, bis Aufklärungsraum, Schwerpunkt und besondere Ziele bestimmt werden können. Einzelne oder mehrere Horchkompanien können einem A.O.K. unterstellt werden.

Austausch der Ergebnisse zwischen den Horchkompanien und den in der Nähe eingesetzten Festen Horchstellen und Funksicherungsstellen ist notwendig. Ferner kann

Austausch der Ergebnisse der H.-Kompanie mit denen der Nachrichtenaufklärungszüge (taktische und Gefechtsaufklärung) zweckmäßig sein.

5. Die Tätigkeit der Horchkompanie umfasst:
  a) Empfangsdienst,
  b) Peildienst,
  c) Auswertung.

Der Empfangsdienst erfasst den Funkverkehr des Gegners.

Der Peildienst ermittelt die Standorte seiner Funkstellen.

Die Auswertung stellt aus den Ergebnissen des Funkempfang- und Peildienstes das Funkbild des Gegners in Form von Funklagemeldungen und taktischen Lageskizzen zusammen, das der Führung Anhaltspunkte über die Feindlage gibt.

6. Die Einsatzbreite der H.-Kp. beträgt etwa 100 bis 150 km.

Der Einsatz im Einzelnen richtet sich nach dem Auftrage, nach technischen Erfassungsmöglichkeiten und nach den Verbindungen (Drahtnetz, Straßennetz, Beispiele s. Anlage 1 bis 4).

Frühzeitiger Einsatz ist geboten, da Aufklärungsergebnisse meist erst nach einiger Anlaufzeit vorliegen.

Die Kommandobehörde, der die H.-Kp. unterstellt ist, muss in dem Einsatzbefehl Aufklärungsraum, Schwerpunkt und besondere Aufklärungsziele genau angeben.

Der Führer der H.-Kp. befiehlt für seine Züge oder Trupps deren Aufgaben, Art der Übermittlung der Meldungen, wirtschaftliche Unterstellung, Geräteersatz und sonst notwendige Einzelheiten.

7. Beispiel für den Einsatzbefehl an eine H.-Kp.:
  a) Lage, soweit notwendig,
  b) Aufklärung im Raum (rechte Grenze .... linke Grenze ....),
  c) Hauptaufgabe: Erfassung der feindlichen Führungsnetze,
  d) Aufträge, die sich auf Einzelheiten erstrecken, je nach Lage.
  e) Wo findet Artillerie-Fliegerfunkverkehr statt?
  f) Wo befinden sich belegte feindliche Flughäfen?
  g) Wo stehen Bodenfunkstellen (Flugmeldekompanie, Funkfeuer usw.) der feindl. Luftwaffe?

8. Entsprechend dem Auftrag weist der Kompanieführer den Zügen – evtl. auch einzelnen Trupps – ihre Aufgaben zu. Diese Aufgaben bleiben im Laufe der Kampfhandlungen nicht starr, sondern passen sich jeweils dem feindlichen Nachrichtenverkehr an.

9. Die Empfangszentralen nehmen im zugewiesenen Raum oder Frequenzbereich den gesamten Funkverkehr des Gegners auf.

Zunächst muss sich die Horchkompanie ein grob umrissenes Bild vom Funkverkehr des Feindes verschaffen, ohne Rücksicht auf den Standort der feindlichen Funktrupps.

Oft können bereits hieraus Schlüsse auf die Art und Gliederung des Feindes gezogen werden.

Hierzu sind vor allem gute Empfangsverhältnisse nötig. Unter Umständen ist eine vorgeschobene Empfangszentrale einzurichten.

Die Peiltrupps peilen die gehörten Sender und schicken die Ergebnisse in Zeitabständen, die von der H.-Kp. zu befehlen sind, an die Auswertestelle. Zur Übermittlung der Horchergebnisse und Befehle dienen Melder auf Kraftfahrzeugen sowie Fernsprech- und Funkverkehr.

Ändert sich im Verlauf der Kampfhandlung die Entfernung zum Feind, so sind die Empfangszentralen und Peiltrupps rechtzeitig zu verlegen. Dies geschieht überschlagend, damit die H.-Kp. arbeitsfähig bleibt.

10. Kommandozug sowie Hauptempfangszentrale sind in die Nähe des Feindlagebearbeiters der vorgesetzten Kdo.-Behörde zu legen, um enge Zusammenarbeit sicherzustellen.

Der H.-Zug wird in der Regel mit 1 bis 2 Empfangszentralen eingesetzt.

Der Peilzug ist mit seinen Trupps in der Einsatz-Basis der Kompanie einzusetzen. Gegenüber dem feindlichen oder im eigenen Schwerpunkt sind einzelne Peiltrupps (evtl. mit Empfangszentrale) vorzuschieben. Der Peilzug besteht im Allgemeinen aus 2 Halbzügen. In besonderen Lagen können die beiden Halbzüge verschiedene Aufgaben erhalten.

Es ist zweckmäßig, in der Nähe der Hauptempfangszentrale einen Peiltrupp einzusetzen.

III. Funkempfangsdienst

a. Aufgaben

11. Der Funkempfangsdienst (Fu.E.D.) erstreckt sich auf den Empfang von
    a) Funktast- und -sprechverkehr,
    b) Funkbildsendungen und
    c) Rundfunk.

12. Aufgabe des Funkempfangsdienstes ist, der Auswertung möglichst umfangreiche und einwandfreie Unterlagen aus den zur Beobachtung zugewiesenen Gebieten zu liefern.

Überwachung eigenen Funkverkehrs wird vom Funkempfangsdienst nur auf Sonderbefehl durchgeführt.

14. Voraussetzungen für erfolgreichen Funkempfangsdienst sind:
    a) Kenntnis der Funkmerkmale und -verfahren des Gegners,
    b) Kenntnis der Organisation des Funkwesens in den zu beobachtenden Staaten,
    c) fremdsprachlich geschultes Personal für die Aufnahme des Heeresfunksprechverkehrs.
15. Hilfsmittel für den Funkempfangsdienst sind:
    a) Verkehrsbeschreibungen (Funklagemappen),
    b) Frequenzlisten,
    c) Rufnamenverzeichnisse,
    d) Verkehrspläne.

b. Einsatz

16. Für den Einsatz der Horchkompanie ist maßgebend:
    a) die taktische Lage,
    b) schnelle Übermittlungsmöglichkeit der Aufnahmen an die Auswertung,
    c) Störungsfreiheit des Empfanges und Peilverhältnisse.
17. Bei einer Einsatzbreite bis zu 100 km zieht die Kompanie die Empfangstrupps zu einer Empfangszentrale zusammen. Ist die Einsatzbreite der Kompanie aber wesentlich größer, so können aus dem H.-Zug zwei oder drei Empfangszentralen gebildet und eingesetzt werden.
18. Der Aufbauplatz für den Kommando- und Horchzug muss zur Einsatzbasis der Kompanie und zum Aufklärungsraume im richtigen Verhältnis stehen und gute Empfangsverhältnisse aufweisen. Die Nähe eigener starker Sender ist zu meiden.
19. Später eintreffende eigene Funkstellen sind so einzusetzen, dass der Funkempfangsdienst keine Störungen erleidet.

c. Zuteilen der Aufgaben

20. Die allgemeine Aufgabenzuteilung für den Funkempfangsdienst im festen H.-Netz wird durch den H.-Aufgabenplan geregelt. In Anlehnung hierzu nehmen die Führer der Festen Horchstellen die Aufgabenzuteilung in ihrem H.-Gebiet vor.
Bei Sonderbeobachtungen im Grenzgebiet können auch die zuständigen Abwehrstellen Aufgaben stellen.
21. Der Kompanieführer teilt die Aufgaben für den Funkempfangsdienst im beweglichen H.-Einsatz nach Auftrag und Lage zu. Der Befehl hierzu muss enthalten:
    a) Das H.-Gebiet, das nach Frequenzbereichen oder nach Verkehrskreisen abgegrenzt sein kann,

b) Eine Weisung darüber, wie die Beobachtung vorzunehmen ist.

22. Dabei ist zu unterscheiden zwischen:

a) Suchempfang, der bei noch ungeklärter Funklage durchzuführen ist. Den einzelnen Empfängern sind bestimmte Frequenzbereiche zuzuweisen. Es sollen durch Erfassen der vom Gegner benutzten Frequenzen die Unterlagen für den weiteren H.-Einsatz geschaffen werden;

b) Überwachung, die sich auf den Ergebnissen des Suchempfangs aufbaut und durch planmäßige Beobachtung der Betriebsabwicklung das normale Funkbild des Gegners zu erfassen hat, um die darin eintretenden Veränderungen sofort erkennen zu können;

c) Aufnahme, die das vom Gegner gesendete Spruchmaterial erfasst.

23. Die für Überwachung und Aufnahme nicht benötigte Zeit ist stets für den weiteren Suchempfang auszunutzen.

24. Außerdem muss bei umfangreichen Aufgaben auch noch im Einzelnen angegeben werden, welche Verkehre bevorzugt und welche erst in zweiter Linie zu beobachten sind.

Diese Forderung wird erfüllt durch die Bestimmung von H.-Aufgaben I., II. und III. Ordnung.

d. Durchführung

25. Die Empfangszentrale hat durch enges Zusammenarbeiten ihrer Empfänger die Überwachung aller Frequenzen zu gewährleisten und die Verkehrsbeziehungen der Funkstellen des Gegners sicherzustellen.

26. Die Hauptempfangszentrale ist reichlicher mit Gerät auszustatten. Sie ist mit der Auswertung örtlich zusammenzulegen, um ihr sofort die Hauptmenge des erfassten Verkehrs und der Sprüche zur Bearbeitung geben zu können.

27. Bei jeder Empfangszentrale sind einzuteilen:

a) ein Offizier oder Wachtmeister als Leiter,

b) Sendefunker,

c) Empfangspersonal.

28. Der Leiter setzt die Empfangszentrale und den Kommandosender nach Anweisung des Kompanieführers oder Zugführers ein und ist für ihre Betriebsbereitschaft sowie Durchführung der Aufgaben verantwortlich.

Er hat darauf zu achten, dass Unterbrechungen in der Beobachtung bei Ablösung des Empfangspersonals nicht entstehen. Die Ablösung ist in der Tagesmeldung der einzelnen Empfänger durch Eintragen der Uhrzeit und Namen der ablösenden Funker zu vermerken.

Außerdem stellt er auf einer Tafel die Beobachtungsergebnisse zu einer Verkehrsskizze zusammen und vermerkt darin, welche Funkstellen gepeilt wurden. Diese Zusammenstellung dient als Unterlage für Weiterbeobachtung. Die Tafel muss möglichst für alle H.-Funker sichtbar aufgestellt sein.

29. Der Sendefunker empfängt die Peilkommandos von den H.-Funkern und tastet sie an die H.-Trupps. Die Durchgabe von Peilkommandos durch Fernsprecher (Kommandogerät) wird häufig möglich sein und ist anzustreben.

30. Das Empfangspersonal versieht den Funkempfangsdienst in der Empfangszentrale. Jeder Empfänger ist mit einem H.-Funker besetzt. Die H.-Funker tragen die Empfangsergebnisse in die Vordrucke für Tagesmeldungen (Anl. 5) bzw. für Funksprüche (Anl. 6) ein.

31. Innerhalb der zugewiesenen H.-Aufgaben werden alle Anrufe, Verständigungsverkehre und Funksprüche aufgenommen.

32. Unter Anruf ist der Anruf selbst und etwa dabei gegebene Betriebszeichen zu verstehen.

33. Der Verständigungsverkehr dient zum Austausch von Betriebszeichen oder kurzen Klartextworten zwischen zwei Funkstellen.

34. Bei Funksprüchen ist zu unterscheiden zwischen:

 Heeresfunksprüchen,
 Marinefunksprüchen,
 Funksprüchen der Luftwaffe,
 Zivilfunksprüchen,
 innerstaatlichen Funksprüchen (Polizei, Eisenbahn, Post usw.),
 zwischenstaatlichen Funksprüchen,
 Kolonialfunksprüchen,
 Pressefunksprüchen,
 Wetter-, Börsen-, Handelsfunksprüchen,
 Privatfunksprüchen,
 Betriebsfunksprüchen.

35. Bei den Festen Horchstellen sind aufzunehmen:

 Heeresfunksprüche,
 Funksprüche der Luftwaffe (Bord- und Bodenfunkstellen),
 zwischenstaatliche Funksprüche,
 innerstaatliche Funksprüche,
 Kolonialfunksprüche,
 Betriebsfunksprüche.

Wenn nötig, kann Überwachung von Rundfunk, Schwarzsendern und Störsendern angeordnet werden. Marinefunksprüche sind nur auf besonderen Befehl mitzuhören.

36. Beim Einsatz der Horchkompanie beschränkt sich die Aufnahme in der Regel auf:
Heeresfunksprüche und
Funksprüche der Luftwaffe (Bord- und Bodenfunkstellen).

37. Der H.-Funker muss die Funkmerkmale und -verfahren der gegnerischen Funkstellen sowie die verschiedenen Spruucharten kennen, um wichtige Sprüche von unwichtigen unterscheiden zu können.

38. Über diese Merkmale unterrichten die Funklagemappen, die beim O.K.H., bei den Festen Horchstellen und Horchkompanien länderweise aufgestellt und auf dem Laufenden gehalten werden.

39. Sorgfältige und gut lesbare Niederschrift des Aufgenommenen ist Vorbedingung für seine Nutzbarmachung durch die Auswertung.
Für die Niederschrift ist zu beachten:

Kein Zeichen, das gehört wurde, darf fehlen. Nicht einwandfrei gehörte Zeichen sind mit Fragezeichen zu versehen oder durch Punkte anzudeuten. Wenn möglich, ist die Zahl fehlender Zeichen, Gruppen und Wörter anzugeben. Berichtigungen sind durch Streichen der falschen und Darüberschreiben der richtigen Buchstaben vorzunehmen, nicht durch Radieren oder Überschreiben.

40. Aufgenommene Sprüche sind bei den Festen Horchstellen empfängerweise monatlich und bei H.-Kompanien im Einsatz nach besonderer Anordnung fortlaufend durchzunummerieren. Verschlüsselte Sprüche erhalten rote, Klartextsprüche blaue Aufnahmenummern. Bei Sprüchen, die auf mehreren Blättern aufgenommen werden, sind die einzelnen Blätter durch Zusatz kleiner Buchstaben a, b, c usw. hinter der Aufnahmenummer zu kennzeichnen.

41. Die Funksprüche sind auf Vordrucken (Anlage 6) aufzunehmen. Anfertigen von Durchschlägen muss von Fall zu Fall angeordnet werden.

42. Jeder sonstige Funkverkehr ist in Tagesmeldungen (Anlage 5) mit Durchschlag niederzuschreiben. In die Spalte „Inhalt" sind sämtliche in der Funkverkehrsabwicklung zur Verständigung gewechselte Wörter und Zeichen einzutragen, von Sprüchen die Köpfe, An- und Unterschriften. Die Spruchart ist durch nachstehende Abkürzungen anzugeben.

Kl.   = Klartextspruch,
Z   = Zahlengruppen,
B   = Buchstabengruppen, z. B.
3 Z   = 3stellige Zahlengruppen
5 B   = 5stellige Buchstabengruppe usw.

43. Die Tagesmeldungen sind für jeden Empfänger getrennt zu führen und mit dessen Nummer, z. B.

E I L = (Empfänger I für Langwellenaufnahme),

E II K = (Empfänger II für Kurzwellenaufnahme)

zu bezeichnen.

44. Bei der Hauptempfangszentrale sind folgende Unterlagen zu führen:

Vordrucke für Funksprüche,

Vordrucke für Tagesmeldungen,

Vordrucke für Tastmeldungen,

Rufzeichen und Frequenzverteilung des eigenen Kommandostabes,

Übersichten über den fremden Funkverkehr (Funklagemappen, Frequenzlisten, Rufnamenverzeichnisse, Verkehrspläne),

Skizze über Verbindungswege und Fernsprechverbindungen innerhalb der Kompanie.

47. Bei den übrigen Empfangszentralen der H.-Kompanie kommt zu den vorstehenden Unterlagen noch das H.-Satzbuch.

c. Auswertetätigkeit der Hörer

48. Der H.-Funker muss die Auswertetätigkeit in technischer und taktischer Hinsicht zu ergänzen suchen.

49. In technischer Hinsicht durch:

a) Deuten der Rufzeichen, durch Wiedererkennen von Funkstellen bei wechselnden Rufzeichen an besonderen Eigenarten der Sender, Art des Tones (schwankend, schlechte Abstimmung, pfeifend u.a.m.), Geweweise, Frequenzgebrauch, Vergeben von Rufzeichen, Ausbreitungserscheinungen u. a.;

b) Deuten der Betriebszeichen durch Gegenüberstellen der in einem Verkehr zwischen zwei Funkstellen gebrauchten Betriebszeichen;

c) Erkennen der Eröffnungs-, Verkehrs- und Netzfrequenzen;

d) Beobachtung wechselnder Lautstärke bei beweglichen Heeresfunkstellen hinsichtlich Standortveränderungen. Erforderlichenfalls Lautstärken in Tagesmeldung eintragen;

e) Beobachtung von Tonschwankungen hinsichtlich Auftretens von Flugzeugsendern und fahrenden Sendern (Kampfwagen, Panzerzüge);

f) Feststellen des Ausbildungsgrades des gegnerischen Funkpersonals durch Prüfen der Dauer und Genauigkeit des Abstimmens, Schnelligkeit der Verkehrsabwicklung, Sendetempo, Sicherheit des Gebens, allgemeine Funkzucht.

50. In taktischer Hinsicht durch:

    a) Beachten des Verkehrsbeginns und Verkehrsschlusses, An- und Abschwellen des Verkehrs in einem bestimmten Verkehrsnetz;

    b) Erkennen der Leitfunkstelle;

    c) Feststellen des Ausscheidens einzelner Funkstellen aus dem Verkehr;

    d) Erkennen neu aufgetretener Funkstellen.

51. Zu dieser Mitarbeit an der Auswertung müssen die Hörer erzogen werden; ein Versagen der Hörer in dieser Beziehung kann nur selten durch die Auswerter ausgeglichen werden, da viele Merkmale im fremden Funkverkehr nur dem am Empfänger Dienst tuenden Funker zugänglich sind.

52. Wahrnehmungen und Annahmen, die für die Auswertung Bedeutung haben könnten, teilen die Hörer dem Dienstvorgesetzten mit und schreiben sie in die Spalte „Bemerkungen" der Tagesmeldungen oder – bei umfangreichen Anmerkungen – in das am Empfänger auszulegende Meldeheft ein.

IV. Peildienst

a. Aufgaben

53. Der Funkempfangsdienst stellt die Verkehrsbeziehungen, der Peildienst die Standorte der Funkstellen fest.

54. Unter Funkpeildienst (im nachfolgenden kurz Peildienst genannt) ist Feststellen der Richtung, in der sich sendende Funkstellen im Verhältnis zur Peilstelle befinden, zu verstehen. Das Ergebnis der Feststellung ist die „Peilung".

55. Mithilfe mehrerer Peilgeräte, die an verschiedenen orten aufgebaut sind, kann der Standort eines Senders bestimmt werden. Feststellen des Standortes eines Senders durch mehrere Peilungen ist „Orten", das Ergebnis die „Ortung".

b. Peilstrahlablenkungen

56. Die Peilstrahlablenkungen lassen sich einteilen in gleich bleibende und veränderliche.

57. Gleichbleibende Peilstrahlablenkungen werden hervorgerufen durch:

    a) die Umgebung des Peilers

        (Elektrische Leiter, wie Metallzäune, Fernsprech-, Telegraphen- und Starkstromleitungen, Antennen, Flüsse, Seen, hügeliges Gelände und hohe Bäume.)

b) den Standort des Senders

(Die unter a aufgeführten Verhältnisse und ein unregelmäßiger Antennenaufbau verursachen zunächst eine ungleichmäßige Energieausbreitung, ähnlich wie ein ins Wasser geworfener Stab, der zunächst verzerrte (ovale) Wellenringe erzeugt, die sich erst allmählich runden. Diese unregelmäßige Ausstrahlung des Senders kann sich bis zur Entfernung von 200 km auswirken.)

c) das Zwischengelände zwischen Sender und Peiler.

(Hier folgen die elektrischen Wellen meist ungünstigen Leitbahnen, wie sie ihnen z. B. Flüsse bieten. Hohe Berge, Industriestädte, Wälder wirken störend ein. Besonders störend ist öfterer Wechsel von Land und Wasser; Erzlager wirken Peilstrahl ablenkend und bewirken zuweilen ein Wandern des Peilstrahles.)

Die gleich bleibenden Peilstrahlablenkungen lassen sich z. T. in ihren Werten festlegen und durch Peilberichtigung ausgleichen. Hierzu dienen die Vordrucke für Peilberichtigungstabelle (Anlage 7) und Peilberichtigungskarte (Anlage 8).

58. Veränderliche Peilstrahlablenkungen werden hervorgerufen durch:

a) Wechselnde Einflüsse in der Umgebung des Peilers,

b) so genannten „Nachteffekt",

(Es treten Unterschiede zwischen den Peilungen bei Tages- und Nachtzeit auf. Tagespeilungen sind – abgesehen von den unter Ziffer 57 aufgeführten Einflüssen – zuverlässiger als Nachtpeilungen. Besonders unzuverlässig sind Peilungen in den Zeiten von 1 Stunde vor bis 1 Stunde nach Sonnenaufgang und Sonnenuntergang.)

c) Witterungseinflüsse.

(Besonders auf dem Wellenband unter 1.000 m wirken Böen, Kaltlufteinbrüche, Nebel u. dgl. störend auf die Wellenausbreitung und damit auf das Peilen ein.)

Veränderliche Peilstrahlablenkungen lassen sich im Allgemeinen in ihren Werten nicht festlegen und nicht ausgleichen.

59. Besonders geartete Ablenkungen treten beim Peilen von Sendern auf, die während der Fahrt senden (z. B. Pzkw.-Funkstellen und Flugzeugfunkstellen).

Bei in Fahrt stehenden Funkstellen erschweren Energieschwankungen die Feststellung des Lautminimums. Der Geländewechsel des Senders und die mit ihm verbundene Änderung der Umgebung führen zu verschiedenartigen Ablenkungen, die sich im Wandern des Peilstrahls und Schwanken des Minimums zeigen.

c. Einsatz der Peiler

60. Peilgeräte werden bei den Festen Horchstellen, bei ihren Funksicherungsstellen und im beweglichen H.-Dienst (bei H.-Kompanien) verwendet.

61. Beim Einsatz der Peiltrupps ist zu berücksichtigen:

      a) weiteste Peilentfernung im Aufklärungsraum,

      b) günstigste Peilansatzpunkte,

      c) Entfernung der Peiler von der eigenen Front.

62. Die Breite der Peilbasis richtet sich nach der Ausdehnung, Tiefe und Entfernung des Aufklärungsraumes von der Einsatzbasis der Kompanie. Hieraus ergeben sich Anzahl und Verteilung der einzusetzenden Peiler. Eine normale Peilbasis einer H.-Kompanie umfasst in der Regel 4 bis 5 Peiler.

63. Die Auswahl des Geländes für die Peileinsatzpunkte und damit für die Peilbasis muss nach peiltechnischen Gesichtspunkten getroffen werden. Hier gilt der Grundsatz: Wirkung geht vor Deckung! Eine geringere Entfernung zur vorderen Linie bei besonders günstigen Einsatzpunkten darf nicht gescheut werden.

64. Günstige Aufbauplätze sind weite Ebenen, unbewachsene Hügel, fern von allen die Peilung beeinträchtigen Einflüssen. Eine Möglichkeit, das Peilzelt auch im offenen Gelände zu tarnen, ist immer vorhanden. Dagegen ist verboten, dass die Fahrzeuge selbst bis zum Aufbauplatz fahren; sie sind abgesetzt vom Peiler gedeckt aufzustellen.

65. Die Aufbauplätze sollen entfernt sein von:

Fernsprech- und Telegrapheneinrichtungen	etwa	500 m,
Hochspannungsleitungen	"	1000 m,
Erdkabeln, meist im Verlauf größerer Straßen	"	300 m,
Schienensträngen	"	1000 m,
Flüssen, Seen	"	5000 m,
Gebirgswänden	"	5000 m,
Straßen und Plätzen, auf denen Kraftfahrzeuge verkehren ...	"	500 m.

66. Bei Zuweisung der Peileinsatzpunkte dürfen die Peiltrupps örtlich nicht zu fest gebunden sein. Starkstromnetze usw. machen oft die Benutzung eines befohlenen Aufbauplatzes unmöglich.

Es empfiehlt sich, den Peiltrupps einen leicht zu findenden Geländepunkt (z. B. Ortschaft, Straßenkreuzung usw.) anzugeben, im Übrigen aber die Wahl des Aufbauplatzes den Truppführern zu überlassen.

Zum Auffinden der Peiler müssen diese an markanten Punkten, Ortseingängen, Straßenkreuzungen usw. Bezeichnungen anbringen.

67. In feindwärts gerichtete Bogen im Verlauf der Front sind Peiler vorzuschieben, die durch ihre flankierende Wirkung besonders günstige Ortungen erzielen können. Es ist

zweckmäßig, in der Nähe der Empfangszentralen je einen Peiler einzusetzen, dessen Ergebnisse sofort zur Verfügung stehen.

68. Bei einem weit vorgeschobenen Peileinsatzpunkt muss sich der Truppführer fortlaufend über die Entwicklung der Lage unterrichten. Es kann notwendig werden, dass er selbstständig einen Stellungswechsel durchführen muss. Der neue Standort ist dann mit Skizze und Planzeiger sofort an die Auswertestelle zu melden.

d. Einsatz des Sendertrupps (Kommandosender)

69. Die Empfangszentrale setzt die zugehörigen Peiler auf dem Funk- oder Drahtwege zum Peilen an.

70. Der Kommandosender übermittelt die Peilkommandos an die Peiltrupps. Er wird in der Nähe der Empfangszentrale aufgebaut, muss aber von dieser jeweils so weit abgesetzt werden, dass er den Empfang nicht mehr stört.

Der Aufbauplatz ist so zu wählen, dass bis zu den äußersten Peilern eine sichere Funkverbindung gewährleistet wird.

e. Durchführung

71. Nach Auswahl des Aufbauplatzes wird der Peiler mit dem Richtgerät, unter Berücksichtigung der magnetischen Missweisung eingerichtet. Das Einrichten hat der Truppführer nachzuprüfen.

72. Eine weitere Berichtigung wird beim Peiltrupp nicht vorgenommen. Kontrollpeilungen sind von Zeit zu Zeit feindwärts gegen bekannte Funkstellen auszuführen und in die Peilmeldungen einzutragen. Ihre Auswertung und die danach erforderliche Berichtigung der Peilungen wird bei der Auswertestelle vorgenommen.

73. Um bei einer Peilauswertung die die gemessenen Winkelwerte auf die Karte übertragen zu können, ist genaue Standortbezeichnung der Peiler notwendig. Der Standort ist nach Planzeiger bei der ersten Gelegenheit an die Auswertestelle zu melden. Außerdem ist eine Standortskizze (Anlage 9) so bald wie möglich zu übersenden. Sie soll der Auswertung die Bewertung der Peilungen aufgrund der Umgebung des Peilers ermöglichen.

74. In der Hauptsache werden die Peilungen nach dem Kommandopeilverfahren durchgeführt; steht dann noch Zeit zur Verfügung, so sind selbstständige Peilungen vorzunehmen.

75. Zuverlässige Bedienung des Peilers durch einen H.-Funker muss angestrebt werden; der zweite H.-Funker bedient den Kommandoempfänger.

76. Die Güte der gewonnenen Peilungen ist für die Auswertung von großer Bedeutung. Sie ist zu bestimmen durch Angabe der Minimumgrenzwerte, d. h. durch Angabe der das Minimum links und rechts begrenzenden Gradzahlen.

77. Neben der Peiltätigkeit muss das von dem gepeilten Sender Gefunkte, soweit die Zeit dazu ausreicht, stichprobenweise aufgenommen werden, damit bei der Auswertung durch Vergleich mit der Aufnahme der Empfangszentrale die Gleichheit des von den einzelnen Peilern gepeilten Senders festgestellt werden kann. Die Eintragungen in die Peilmeldungen nimmt der Peilfunker vor.

78. Der Peiltruppführer sorgt für laufende Durchgabe der Peilergebnisse.

79. Die Peilmeldungen sind zeitgerecht abzuschließen, vom Truppführer zu unterzeichnen und durch Kraftfahrer der Auswertestelle zu übersenden.

80. Der Peiltruppführer hat seine Besatzung über die taktische Lage und die jeweils wichtigsten Aufgaben laufend zu unterrichten. Er sorgt für die Diensteinteilung, Nachschub von Gerät und Personal, rechtzeitige Herstellung der Verbindungen sowie für Unterkunft und Verpflegung seines Trupps.

81. An Unterlagen und Hilfsmitteln müssen sich bei jedem Peiltrupp befinden:

Vordrucke für Peilmeldungen,

Vordrucke für Tastmeldungen,

1 Kartensatz „Linien gleicher Missweisung im Deutschen Reich" (neueste Ausgabe),

Rufzeichen und Frequenzverteilung der eigenen Kommandostelle,

H.-Satzbuch.

Jeder H.- und P.-Zug muss ferner ausgestattet sein mit je:

1 Funkortungskarte von Mitteleuropa.

f. Auswertetätigkeit der Peilfunker

82. Der Peilfunker am Gerät macht beim Peilen oft Wahrnehmungen, die für die Auswertung von größtem Wert sein können. Er ist daher verpflichtet, alle besonderen Merkmale, die er beim Peilen feststellt, z. B. Wandern des Minimums usw., in der Spalte „Bemerkungen" niederzuschreiben.

g. Das Kommandopeilverfahren

83. Zur Durchführung zeitlich gleicher Peilungen mit geringstem Zeitverlust werden die Peilkommandos durch einen besonderen Sender (Kommando-Sender) an die Peiltrupps übermittelt. Hierbei muss erreicht werden, dass ein fremder Sender, der einen dreimaligen Anruf oder eine Spruchquittung gibt, gepeilt wird.

84. Grundbedingung für einwandfreies Übermitteln der Peilkommandos ist, dass der Kommando-Sender bei jedem Peiltrupp einwandfrei gehört wird. Für ununterbrochene Aufnahme des Kommando-Senders durch die Kommando-Empfänger tragen der Leiter der Empfangszentrale und der Peiltruppführer Sorge.

85. Die Peilkommandos werden laufend durchnumeriert.

86. Das Kommandopeilen ist nach folgendem Verfahren durchzuführen:

Ein H.-Funker in der Empfangszentrale hört z. B. einen Sender auf Frequenz 138, der einen Funkspruch, aus Zahlengruppen bestehend, absetzt. Die Frequenz und den entsprechenden Kennbuchstaben, z. B. – Z – (Sender gibt Zahlengruppen), ruft er bei Ferntastung des Kommandosenders von der Empfangszentrale aus dem Senderfunker, anderenfalls dem Fernsprecher zu, der die Verbindung zwischen Empfangszentrale und Kommandosender aufrecht hält. Um die Zeit des Weckanrufes zu sparen, wird ein hochohmiger Fernhörer vor den Fernsprechapparat beim Kommandosender geschaltet:

Beispiel:	Frequenz	Kennbuchstabe
E.-Zentrale an Kdo.-Sender	138	Z

Der H.-Funker in der Empfangszentrale vermerkt die befohlene Kommandopeilung in der Tagesmeldung (s. Anlage 5) in Spalte „Peil-Nr." durch ein grünes Kreuz.

87. Der Senderfunker tastet die Frequenz, den Kennbuchstaben und die laufende Peilnummer an die Kommando-Empfänger. Das Tasten der Peilkommandos kann, je nach Zweckmäßigkeit und Ausbildungsstand des Personals, in gekürzten oder ungekürzten Zahlen befohlen werden.

Beispiel:

Tastung des Peilkommandos:

	Frequenz	Kennbuchstabe	Peilnummer
a) ungekürzte Zahlen	138	Z	1
b) gekürzte Zahlen	avd	Z	1

88. Der H.-Funker, in der Empfangszentrale, der das Peilkommando gegeben hat, erhält die laufende Peilnummer des Kommandosenders bei Ferntastung mündlich, anderenfalls durch Fernsprecher vom Senderfunker zugerufen und trägt sie in die Tagesmeldung neben dem grünen Kreuz ein.

89. Der Senderfunker trägt die Uhrzeit, den Kennbuchstaben und die laufende Peilnummer in die Aufnahme-Tastmeldung (Anlage 10) ein.

90. Die Funker an den Kommando-Empfängern tragen das empfangene Peilkommando und die laufende Peilnummer in die Aufnahme-Tastmeldung (Anlage 11) ein und rufen schon während des Aufnehmens die Frequenz und den Kennbuchstaben den Peilfunkern zu, die auf Frequenz 138 den mit dem Kennbuchstaben – Z – (Sender gibt Zahlengruppen) bezeichneten Sender peilen.

91. Die Peilfunker führen die Peilmeldung (Anlage 12). Sie enthält das Peilkommando, die Uhrzeit, das Peilergebnis, die laufende Peilnummer (auch wenn Peilung nicht gelungen) und, wenn erfasst, das Aufzeichnen des gepeilten Senders.

92. Das Peilkommando, z. B. Frequenz 300 in Verbindung mit dem Buchstaben – V – bedeutet: Peiler bleiben auf Frequenz 300 stehen und peilen die nacheinander auftretenden Sender. Hierbei ist nur das Peilkommando als solches mit einer Peilnummer zu versehen, aber nicht die nacheinander gepeilten Sender.

93. Selbstständig ausgeführte Peilungen erhalten keine Peilnummer, um sofort als solche kenntlich zu sein.

94. Die Peilnummern sind mit Grünstift einzutragen.

95. Für jede Kommandosenderfrequenz ist ein Rufzeichen auszugeben. Der Frequenzwechsel ist im Tagesbefehl zeitlich festzulegen.

96. Der Frequenzwechsel muss auf dem Funkwege oder fernmündlich den Peiltrupps angekündigt werden. Die Ankündigung besteht aus zweimaligem Senden bzw. fernmündlichen Durchrufen des Zeichens „– fw –".

97. Der Frequenzwechsel ist wie folgt zu vollziehen:

Auf der alten Frequenz:

1. Trennung,
2. qsw mit Rufzeichen derjenigen Verfügungsfrequenz, die nach Ansicht der Empfangszentrale am geeignetsten ist,
3. Trennung, Wartezeichen (eb),
4. sofort auf die neue Frequenz übergehen und unter Voransetzen einer Irrung mit dem für den betreffenden Tag bestimmten Abstimmen oder Probesenden die Verbindung herstellen.

98. Kennbuchstaben zur Kennzeichnung des zu peilenden Senders:

Klaus	= Buchstaben	– kl –	= Klartext,
Bertha	= Buchstabe	– b –	= Spruch aus Buchstabengruppen,
Zeppelin	= Buchstabe	– z –	= Spruch aus Zahlengruppen,
Gustav	= Buchstabe	– g –	= Spruch aus gem. Gruppen,
Ulrich	= Buchstabe	– u –	= Spruch nach Signaltafel,
Quelle	= Buchstabe	– q –	= Quittung,
Siegfried	= Buchstabe	– s –	= Betriebszeichen,
Anton	= Buchstabe	– a –	= Anruf,
Martha	= Buchstabe	– m –	= Abstimmen,
Friedrich	= Buchstabe	– f –	= Telefonie,
Ypsilon	= Buchstabe	– y –	= Typenbildschreiber oder Bildfunk,
Ludwig	= Buchstabe	– l –	= Schnellsender,
Konrad	= Buchstabe	– k –	= Kopf eines Funkspruches.

99. Die Peilrückmeldung ist zu befördern entweder

    a) auf dem Drahtwege,

    b) durch Kraftfahrer,

    c) auf dem Funkwege.

Zu a) Es genügt die Durchgabe der Spalten g, z u. i Anl. 12.

Zu b) Es wird die voll ausgefüllte Peilmeldung übersandt.

Zu c) Es genügt die Durchgabe der Spalten g und z.

V. Auswertedienst

a. Wesen und Zweck des Auswertedienstes

100. Der Nachrichtenverkehr des Gegners wird durch die verschiedenen Zweige der Aufklärung durch Nachrichtenmittel erfasst. Das in seiner ursprünglichen Gestalt zunächst zusammenhanglose Beobachtungsmaterial wird durch den Auswertedienst bearbeitet und in eine für die Truppenführung brauchbare Form gebracht.

101. Die Arbeitsgänge werden „Auswertung", die ausführende Stelle „Auswertestelle" genannt.

102. Die Ergebnisse des H.-Dienstes müssen so rechtzeitig ausgewertet werden, dass sie der Führung noch als Unterlagen für ihre Entschlüsse dienen können.

103. In der Funklagemeldung wird das Funkaufklärungsergebnis zusammengestellt (s. Ziff. 183).

104. Die Auswertung darf sich nicht nur auf einmal gefasste Gedankengänge aufbauen. Sie hat die Bearbeitung der Empfangsergebnisse mit folgendem Ziel durchzuführen:

    a) Beschaffen verlässlicher Unterlagen über die Lage beim Gegner und seine Absichten,

    b) Unterrichtung der eigenen Führung über Organisation, Einsatz, Umfang und Lage des gegnerischen Nachrichtenwesens,

    c) Erkennen von Angriffs-, Verteidigungs- und Rückzugsabsichten mit Gefechtsschwerpunkten,

    d) Festlegen und Weitermelden der im gegnerischen Nachrichtenbetrieb erkannten Fehler und Unvorsichtigkeiten, die die Auswertung förderten, an die Nachrichtenführer, damit im eigenen Nachrichtenbetrieb ähnliche Fehler vermieden werden,

    e) Beschaffen von Unterlagen für Anwendung von Verschleierungsmaßnahmen und Täuschung des Gegners durch Nachrichtenmittel.

b. Einsatz

105. Eine Auswertestelle gehört zu jeder Horchdienst betreibenden beweglichen oder festen Horch-Einheit.

106. Frühzeitiger und vollständiger Einsatz der Auswertestelle ist für erfolgreiche Überwachung und Auswertung des gegnerischen Nachrichtenbetriebes notwendig.

107. Bei den Festen Horchstellen üben die Auswertestellen eine Vorauswertung aus; die Endauswertung und das Zusammenstellen aller H.-Ergebnisse wird beim O.K.H. vorgenommen. Bei beweglichem Einsatz nehmen die dazugehörigen Auswertestellen in der Regel die Auswertung bis zum Endergebnis vor. Erweist sich darüber hinaus eine Vorauswertung bei den Empfangszentralen oder den Empfangs- und Peiltrupps als notwendig, so ist sie von Fall zu Fall anzuordnen.

108. Die Auswertestelle kann nur Teilergebnisse über die Feindlage liefern. Aussprachen, Rückfragen und Vergleiche zwischen dem Leiter der Auswertestelle und dem Feindlagebearbeiter beim A.O.K. sind nötig.

Ist eine örtliche Trennung von Auswertestelle und A.O.K. nicht zu umgehen, so muss zwischen beiden unmittelbare Fernsprechverbindung hergestellt werden.

109. Bei der Auswahl des Einsatzortes für Empfangszentrale und Auswertestelle ist auf sichere Verbindung zu den P.-Trupps Rücksicht zu nehmen.

c. Gliederung der Auswertung

110. Die Auswertung gliedert sich in mehrere Auswertezweige, deren Grenzen nicht immer scharf gezogen werden können.

111. Die Gliederung bildet die Grundlage für die Aufgabenzuteilung an die einzelnen Auswerter und für das Anlernen des Ersatzes.

112. Bei der kriegsmäßigen Auswertung ermöglicht sie die Festlegung der Bearbeitungsgänge innerhalb der Auswertezweige; bei Ablösungen können die Ablösenden dadurch mit einem kurzen Hinweis über den Stand der Bearbeitung unterrichtet werden.

113. Die Gliederung ist folgende:
Betriebsauswertung,
Peilauswertung,
Verkehrsauswertung,
Inhaltsauswertung und Entzifferung,
Endauswertung.

d. Personaleinteilung

Personaleinteilung bei der Auswertestelle einer Festen Horchstelle im Frieden

114. Die Auswertung bei einer Festen Horchstelle im Frieden ist zeitlich weniger gebunden. Die Berichterstattung über einzelne Beobachtungsgebiete ist meist auf längere Zeiträume verteilt. Einzelne Bearbeiter können mit der Wahrnehmung mehrerer Auswertezweige betraut werden.

Personaleinteilung bei der Auswertestelle einer beweglich eingesetzten Horch-Einheit

115. Je eher das Auswerteergebnis vorliegt, umso wertvoller ist es für die eigene Truppenführung. Hieraus ergibt sich der Arbeitsgang, wobei aber die Zuverlässigkeit erstes Gebot bleiben muss. Durchgehender Dienst ist erforderlich, um in der Bearbeitung mit dem Eingang der Horchergebnisse Schritt halten zu können. Es sind daher für jedes Arbeitsgebiet innerhalb der Auswertestelle etwa 2 bis 3 geschulte Bearbeiter notwendig, die sich innerhalb 24 Stunden 2 bis 3mal ablösen.

e. Aufgaben und Arbeitsgang der einzelnen Auswertezweige.

Allgemeines

116. Die Aufgaben der einzelnen Auswertezweige sind im festen wie im beweglichen H.-Dienst sinngemäß dieselben. Ihre Endergebnisse weichen jedoch voneinander ab. Bedingt ist das im ersten Falle durch die friedensmäßige Tätigkeit beim Gegner, im zweiten Falle durch die Kampfhandlungen.

117. Die Arbeitsweise innerhalb der Auswertestelle ist unabhängig von der nachstehend beschriebenen Reihenfolge der Auswertezweige. Für sie ist lediglich der Gesichtspunkt maßgebend, wie die Bearbeitung der eingegangenen Horchergebnisse am schnellsten und gründlichsten zu bewältigen ist.

118. Bei der kriegsmäßigen Auswertung hat der Auswerteleiter die jeweils schnellste Arbeitsweise sicherzustellen.

Betriebsauswertung

Betriebsauswertung bei einer Festen Horchstelle

119. Die Betriebsauswertung schafft durch Erkennen und Festlegen der Merkmale des fremden Funkwesens die Grundlagen für die Beobachtung. Sie schöpft die Unterlagen für ihre Bearbeitung aus den funkbetriebstechnischen Merkmalen der Funkverkehrsabwicklung, wird aber durch die Ergebnisse anderer Auswertezweige ergänzt. Sie ist das Sammelbecken für alle diejenigen im Auswertedienst gewonnen Ergebnisse, die sich auf das Betriebstechnische des fremden Funkwesens beziehen.

120. Diese Aufgabe muss für den Kriegsfall schon im Frieden dauernd geübt werden, damit der Anschluss an die Entwicklung des fremden Nachrichtenwesens nicht verloren geht.

121. Das Arbeitsgebiet der Betriebsaufklärung umfasst im Einzelnen:

Erkennen der Funkstellenanzahl,, ihre Landeszugehörigkeit, Zugehörigkeit zu den Funknetzen und Festlegen wichtiger Feststellungen über Funkgeräte,

Festlegen der Verkehrszeichen,

Unterscheiden zwischen offenen und geheimen Rufzeichen,

Erkennen des Frequenzgebrauchs und -wechsels,

Festlegen der Verbindungszeichen,

Festlegen der Betriebszeichen, ihrer Bedeutung, ihres Wechsels und Gebrauchs,

Feststellen der Sprucharten und Spruchköpfe,

Beschreiben der Verkehrsverfahren.

122. Die Ergebnisse der Betriebsauswertung sind in nachfolgenden Karteien, Listen, Tabellen und Beschreibungen festzulegen und fortlaufend zu ergänzen:

Kartei für feste Heeresfunkstellen (Anlage 13).

Kartei für Funkstellen des zwischenstaatlichen Funkverkehrs (Anlage 14).

Kartei für Funkstellen des innerstaatlichen Funkverkehrs (Anlage 15).

Kartei für unbekannte Funkstellen (Anlage 16). Diese Kartei enthält Ergebnisse aus der Verkehrsabwicklung und die erzielten Peilwerte. Durch sie soll Deutung der Funkstellen bzw. Erkennen der Landeszughörigkeit und Zugehörigkeit zum Funknetz erleichtert werden.

Kartei für Funkmerkmale und -verfahren (Anlage 17). Die Funkmerkmale (Rufzeichen, Verbindungszeichen, Betriebszeichen, Sprüche usw.) und Funkverfahren sind in jedem Lande und innerhalb eines Landes in den einzelnen Funknetzen verschieden. Durch ihre Festlegung in der Kartei sind Anhaltspunkte für das Erkennen der Landes- und Netzzugehörigkeit gehörter Funkstellen gegeben. Der Hörer kann hierdurch zum Aufgabengebiet nicht zugehörige Funkstellen von der Aufnahme sofort ausscheiden.

Spruchliste (Anlage 18). Sie dient zum Erkennen von Funkstellen nach einem Rufzeichenwechsel.

Gedeutete Betriebszeichen sind nach Ländern und Netzen getrennt in Tabellen zusammenzufassen und fortlaufend zu ergänzen.

Aus der Verkehrsabwicklung, aus Funkunterhaltungen und Sprüchen ergeben sich häufig Anhaltspunkte über Leistung der fremden Funkgeräte und Beschaffenheit der Funkanlagen. Daraus sind Gerätebeschreibungen anzufertigen und laufend zu ergänzen.

123. Die Hörer sind über ihre Auswerteaufgaben am Empfänger zu unterrichten (s. Ziff. 48 bis 52).

Betriebsauswertung bei einer beweglich eingesetzten H.-Einheit

124. Es wird dem Gegner nicht möglich sein, beim Übergang vom friedens- zum kriegsmäßigen Funkbetrieb schlagartig alle Betriebsmerkmale, Betriebsverfahren und Verschleierungsmethoden zu ändern, da dies die Betriebssicherheit infrage stellen würde.

125. Die in Friedenszeiten geschaffenen Unterlagen über Organisation des Funkbetriebes, dessen Einsatz, Verwendung und Handhabung in der fremden Wehrmacht werden es der Auswertung im Kriege erleichtern, den Anschluss an den Funkdienst des Gegners zu finden.

126. Die kriegsmäßige Betriebsauswertung übernimmt somit die Tätigkeit der friedensmäßigen und setzt sie, mit Ausnahme der Funkstellen-Karteien (Anlagen 13 bis 16), in gleicher Weise fort.

127. Die kriegsmäßige Betriebsauswertung führt nur eine Funkstellenkartei (Anlage 19), da nur Heeres- und Luftwaffeneinheiten beobachtet werden.

128. Alle betriebstechnischen Feststellungen über die Funkstellen des Beobachtungsbereiches (Rufzeichen, Verbindungszeichen, Frequenzen, Verkehrszeichen usw.) sind aus den Tagesmeldungen in die Funkstellen-Kartei zu übertragen, wobei für jede Sendefunkstelle eine Karte anzulegen ist. Außerdem werden in ihr die aus anderen Auswertezweigen gewonnen Feststellungen über die betreffenden Funkstellen vermerkt.

129. Sind die Beobachtungsergebnisse eines Zeitabschnittes ausgewertet, so dient die Kartei als Unterlage bei Rückfragen und Unterrichtungen sowie als Anschlussglied an den nächsten Auswertungsabschnitt.

Peilauswertung

Peilauswertung bei einer Festen Horchstelle

130. Aufgabe der Peilauswertung ist, durch Übertragen der gemessenen Peilwerte auf eine Karte die Standorte der beobachteten Funkstellen und ihre Bewegungen festzustellen.

131. Im Allgemeinen reichen für die Peilauswertung (Peilungen nicht über 200 km Entfernung) die heeresüblichen Karten der Maßstäbe 1:25.000, 1:100.000 und 1:300.000 aus. Für Auswertung von Peilungen über größere Entfernung ist die „Funkortungskarte" zu benutzen.

132. Die Peilwerte werden auf die Karte mithilfe eines Teilkreises übertragen. Zum Auflegen des Teilkreises muss durch den auf der Karte genau bezeichneten Standort des Peilers ein nach geographisch Nord-Süd und Ost-West gerichtetes Kreuz ausgezogen werden. Das Kreuz wird folgendermaßen ausgezogen. Eine auf dem oberen und unteren Kartenrand verzeichnete Längenangabe, die dem Standort des Peilers am nächsten liegt, wird durch eine gerade Linie verbunden. Anhand dieses Hilfsmeridians wird durch den auf der Karte genau verzeichneten Standort des Peilers eine Parallele und hierzu – ebenfalls durch den Standort des Peilers – eine waagerechte Linie gezogen. Nunmehr ist die genaue Nord-Süd- und Ost-West-Richtung zum Auflegen des Teilkreises ermittelt.

Das in die Einheitsblätter eingedruckte Gitternetz ist zum Ausziehen des Kreuzes nicht zu benutzen, da seine senkrechten Linien zu den Meridianen nicht parallel verlaufen (Beispiel s. Anlage 20).

133. Der Teilkreis wird auf die Karte so aufgelegt, dass sein Mittelpunkt sich genau mit dem Peilerstandort und dem ausgezogenen Kreuz deckt. Die Zahl 360 weist nach Norden. In dieser Stellung wird der Teilkreis befestigt (Beispiel s. Anlage 21).

134. Bei Entstehen von Fehlerdreiecken oder -vierecken ist zu überlegen, ob sich innerhalb des Dreiecks erfahrungsgemäß und nach der Karte eine Funkstelle und ihr Stab befinden können. Ein so „gefundener" Ort muss aber als „vermutet" bezeichnet werden.

135. Zuverlässige Ortungen bedingen richtiges Arbeiten der Peilstellen und sorgfältige Arbeit der Peilauswertung. Sorgfalt beim Zusammenfügen von Kartenteilen, beim Festlegen der Peilerstandorte, Auflegen der Teilkreise, Spannen der Peilfäden sowie Berücksichtigung von Kartenknicken verhüten Ortungsfehler.

Peilauswertung bei einer beweglich eingesetzten H.-Einheit

136. Die Peilauswertung hat die Aufgabe, die räumliche Verteilung des Gegners und insbesondere seine Bewegungen (Aufklärungsabteilung, Umfassungsabsichten, Zusammenziehen von Truppen) festzustellen.

137. Das Auflegen der Teilkreise auf die Karte geschieht in der im Vorabschnitt beschriebenen Weise.

138. Der Peilauswerter nimmt Ortungen auf einer über die Lagekarte gespannten Pause, „Ortungspause" genannt, vor. Er entnimmt die Peilwerte aus der vorher angefertigten Peil- und Ortungsliste (Anlage 22) und trägt die erzielten Ortungen dazu. Außerdem sind die Standorte der Funkstellen in die Funkstellenkartei einzutragen.

139. Die Marschgeschwindigkeit der Funkstellen lässt Schlüsse auf die Art der Truppe zu. Ist beispielsweise die Funkstelle eines Verbandes um 10.00 Uhr in A-Dorf geortet und um 11.00 Uhr in einem etwa 25 km entfernt liegenden B-Dorf, so kann auf einen motorisierten Verband geschlossen werden.

Bei Beurteilung der Marschgeschwindigkeit müssen auch das Gelände und die Wegeverhältnisse berücksichtigt werden.

140. Die Ortungspause (Beispiel s. Anlage 23) muss enthalten:

Den Frontverlauf, die Standorte sowie Rufzeichen, Wellen und Ortungszeiten der Funkstellen, die Zeichen für Art und Güte der Peilung oder Ortung sowie die Peilnummern. Unter „Ortungszeit" ist die Zeit der erzielten Peilwerte zu verstehen.

Verkehrsauswertung

Verkehrsauswertung bei einer Festen Horchstelle

141. Die Verkehrsauswertung bei einer Festen Horchstelle umfasst im Wesentlichen nur die Bearbeitung von festen Standort- oder Übungsfunknetzen, da bei Beobachtung von Wanderfunkstellen die kriegsmäßige Auswertungsweise in Tätigkeit tritt.

142. Die Aufgabe der Verkehrsauswertung besteht in Klärung der Verkehrsbeziehungen zwischen den Funkstellen mit dem Ziele, Aufschlüsse über Zeit des Einsatzes, Anzahl der Funknetze und Funkstellen sowie deren Zugehörigkeit zu bringen.

143. Voraussetzung hierfür ist, dass die Verkehrsauswerter die Organisation des fremden Funkwesens, Verwendung bestimmter Sendertypen bei Stäben und Kommandobehörden, Organisation und Verteilung der fremden Heere kennen.

144. Die Verkehrsbeziehungen werden in Funkverkehrsskizzen dargestellt. Sie ergeben in Verbindung mit den Ergebnissen der Betriebs-, Peil- und Inhaltsauswertung Anhaltspunkte über Lage der Funkstellen, Netzgliederung und die den Funkverkehr

betreibenden Dienststellen. Auch die Auswertung der Verkehrsbeziehungen und der Betriebsverfahren bringt oft brauchbare Aufklärungsergebnisse.

Verkehrsauswertung bei einer beweglich eingesetzten H.-Einheit

145. Die Verkehrsauswertung ist gleichlaufend mit der Peilauswertung auszuführen.

146. Der Verkehrsauswerter hat seinen Arbeitsplatz unmittelbar neben dem Tisch des Peilauswerters und überträgt laufend die erzielten Ortungen oder Peilungen auf die über seine Lagekarte gespannte Pause.

147. Anhand der Funkstellenkartei oder Tagesmeldungen sind die Verkehrsbeziehungen zwischen den auf die Pause übertragenen georteten Funkstellen einzuzeichnen. Daraus entsteht der Grundriss eines geographisch orientierten Funkverkehrsbildes (Beispiel s. Anlage 24).

148. Auch von nicht georteten Funkstellen kann – rein funkbildmäßig – die ungefähre Lage ermittelt werden, wenn sie mit georteten Funkstellen Funkverbindung haben; denn die Lage der georteten Funkstellen, ihre Netzgliederung und Frequenzen lassen Schlüsse darüber zu, ob die Funkverbindungen von ihnen zu den nicht georteten Funkstellen nach vorn oder rückwärts führen.

149. Die auf diese Weise in die allgemeine Funklage eingeordneten nicht georteten Funkstellen sind im geographisch orientierten Funkverkehrsbild entsprechend zu kennzeichnen.

150. Im geographisch orientierten Funkverkehrsbild spiegeln sich Stärke, Gliederung und Schwerpunkte des Gegners wider. Die Klärung stützt sich auf folgende Erfahrungstatsachen:

 a) Die Gliederung der Funknetze ist gleich der taktischen Gliederung der Truppe.

 b) Sind aus einem Netz keine Funkstellen geortet, so muss Klärung der Zugehörigkeit anhand der Netzgliederung versucht werden.

 c) Lage und Entfernung der Funkstellen zur Front geben Aufschlüsse über ihre Zugehörigkeit.

 d) Beim Kreisverkehr gehören alle Funkstellen eines Verkehrskreises, mit Ausnahme der Leitstelle, wahrscheinlich gleichartigen Stäben an.

 e) Der Funkverkehr wird – wie der Schriftwechsel – unter Einhaltung des Dienstweges abgewickelt.

  Ist beispielsweise die Funkstelle eines Korpsstabes erkannt, so wird – dem Dienstweg entsprechend – die Funkverbindung von ihr nach vorn zur Division oder einem entsprechenden Verbande, nach hinten zur Armee und seitwärts zum Nachbarkorps führen.

f) Auftreten neuer Funkstellen lässt auf Heranführen neuer Truppen, die Zahl der Funkstellen auf die Anzahl der Verbände schließen. Anschwellen und Abflauen des Verkehrs deutet auf Veränderung der Lage, besonders starker Verkehr in einzelnen Abschnitten u. U. auf Vorbereitungen irgendwelcher Art, Funkstille oft auf nahes Bevorstehen von Angriffen hin. Vorübergehendes Ausscheiden von Funkstellen kann auf Marschbewegungen zurückzuführen sein. Lautstärkeschwankungen, Abstimmungsschwankungen können auf fahrende Funkstellen deuten.

151. Alle genannten Erscheinungen müssen in Zusammenhang mit der Gesamtlage gewertet werden, da mit Täuschung von Seiten des Gegners gerechnet werden muss.
So entsteht stufenweise aus dem geographisch orientierten Funkbild ein taktisches Bild.

152. Als Hilfsmittel zu den Ziffern 143 und 144 dienen Unterlagen über Kriegsgliederung der fremden Heere, Organisation des Funkwesens, Funkgerätetypen und ihre Anwendung bei den Stäben.

153. Das taktisch geklärte Funkverkehrsbild (Beispiel s. Anlage 25) enthält den Frontverlauf, Standorte und Rufzeichen der Funkstellen, Wellen (Frequenzen), Zeit der Ortung bzw. Peilung, Verkehrsbeziehungen, taktische Zeichen der gedeuteten Truppenteile, Zeichenerklärung.

154. Der Übersichtlichkeit halber ist das taktisch geklärte Funkverkehrsbild durch eine besondere Skizze (Anlage 25) dargestellt worden; in Wirklichkeit wird das geographisch orientierte Funkverkehrsbild durch die vorher beschriebene Klärung und Ergänzung durch Ergebnisse der Inhaltsauswertung zum taktisch geklärten Funkverkehrsbild erweitert.

Inhaltsauswertung

Inhaltsauswertung bei einer Festen Horchstelle

155. Die Inhaltsauswertung erstreckt sich auf alle erfassten Sprüche, Spruchteile und die Bemerkungen in den Tagesmeldungen.

156. Das Ergebnis der Inhaltsauswertung bringt Aufschlüsse über die Absichten des Gegners und ergänzt die Betriebs-, Peil- und Verkehrsauswertung.

157. Verzifferte Sprüche müssen vorher in Klarschrift umgesetzt werden.

158. Im Allgemeinen werden die Sprüche in drei Spruchgruppen eingeteilt:
Gruppe 1 = Militärische Funksprüche:
    a)   Heeres-,
    b)   Flieger-,
    c)   Marinefunksprüche.

Gruppe 2 = Zwischenstaatliche Funksprüche:
- a) diplomatische,
- b) militärdiplomatische,
- c) wirtschaftsdiplomatische Funksprüche.

Gruppe 3 = Innerstaatliche Funksprüche:
- a) Regierungs-,
- b) Handels-,
- c) Börsen-,
- d) Wetter-,
- e) Privatfunksprüche.

159. Diese drei Spruchgruppen enthalten außerdem eine gemeinsame Spruchart, die so genannten Betriebssprüche, deren Inhalt sich ausschließlich auf die Betriebsregelung der Funkstellen selbst bezieht. Sie geben Anhaltspunkte über Sendezeiten, Frequenzen, Sendersuche, Rufzeichen, Geräte usw.

160. Feststellungen dieser Art leitet der Inhaltsauswerter dem Betriebs- und Verkehrsauswerter zu.

161. Die Sprüche der Gruppe 1 sind zunächst ausnahmslos aufzunehmen. Erst bei der Auswertung darf in vorsichtiger Weise „gesiebt" werden.

162. Diese Sprüche erfordern eine sorgfältige Bearbeitung. Ihre Übersetzung aus der Fremdsprache erfordert in militärischen Dingen geschulte Dolmetscher. Es muss unbedingt vermieden werden, den Sinn des Inhalts zu verändern. In Zweifelsfällen ist der Übersetzung der Urtext beizufügen. Aus den Sprüchen werden die Angaben über An- und Unterschriften, Namen von Offizieren, Truppenteile, Gliederung, Funkstellentypen, Flugzeugtypen und -nummern, Bewaffnung, Ausrüstung herausgezogen und in entsprechenden Karteien vermerkt.

163. Die Sprüche der Gruppe 2 sind im Spruchkopf durch das Wort „etat" oder durch dreistellige Abkürzungen gekennzeichnet; sie geben an, ob es sich um Sprüche mit amtlichem oder privatem Inhalt handelt. Außerdem wird beim Senden solcher Sprüche vor Beginn des Spruchkopfes das Zeichen „sss" gegeben. Auch die An- und Unterschriften sind für die Art der Sprüche bezeichnend.

164. Diese Merkmale ermöglichen es dem H.-Funker und später dem Inhaltsauswerter, wertlose Sprüche auszuscheiden.

165. Die Sprüche der Gruppe 2 werden nach den gleichen Gesichtspunkten bearbeitet wie die der Gruppe 1.

166. Sprüche der Gruppe 3 werden nur soweit aufgenommen, als sie zur Beurteilung der innerpolitischen Lage (innerpolitische Spannungen) eines Staates sowie zur Klärung der Funknetze erforderlich sind.

167. Aus diesen Sprüchen werden Feststellungen über staatliche und private Einrichtungen (Industrie usw.), politische Lage, Regierungsmaßnahmen und ihre Auswirkungen gewonnen.

168. Die Grenze zwischen wichtigen und unwichtigen Sprüchen darf nicht zu eng gezogen werden; die scheinbar belanglose Funkunterhaltung kann – in Verbindung mit Ergebnissen anderer Auswertezweige – wertvolle Anhaltspunkte bringen.

169. Als Wertmesser dafür, ob ein Spruch aufzunehmen und zu bearbeiten ist, darf im Allgemeinen die Netzzugehörigkeit der Funkstelle angesehen werden, die den Spruch gesendet hat. Die Netzzugehörigkeit geht aus ihren Funkmerkmalen hervor.

170. Die Inhaltsauswertung hat folgende Karteien zu führen:

> Kartei für Abkürzungen (Anlage 26),
>
> Namen-Kartei (Anlage 27),
>
>> In ihr sind alle festgestellten Offiziere der Nachrichtentruppe und der Luftwaffe, ferner die Offiziere anderer Waffengattungen vom Major aufwärts aufzuführen.
>
> Kartei für Truppenteile (Anlage 28),
>
> Kartei für Flugzeuge (Anlage 29).

171. Vorstehende Karteien und Vordrucke gelten auch für die kriegsmäßige Inhaltsauswertung.

172. Start- und Landungsmeldungen von Flugzeugen sind auf dem Vordruck für „Flugmeldungen" (Anlage 30) oder in der Funkmeldung zu bringen.

Inhaltsauswertung bei einer beweglich eingesetzten H.-Einheit

173. Die kriegsmäßige Inhaltsauswertung umfasst nur Wehrmachtsprüche.[1] Dem Inhalt nach gliedern sie sich

> a) in Sprüche, die von Funkstelle zu Funkstelle gehen und den Funkbetrieb betreffen,
>
> b) in solche, die zwischen den Kommandobehörden ausgetauscht werden.

174. Die Sprüche unter a ergänzen die Betriebs- und Verkehrsauswertung; bisweilen lassen sie auch Rückschlüsse auf die taktische Feindlage zu.

175. Die Sprüche unter b gliedern sich in:

> a) Sprüche mit offensichtlich wichtigem Inhalt, die sofort im Wortlaut oder auszugsweise an den Feindlagenbearbeiter der Kommandobehörde weitergeleitet werden und der Endauswertung bei Zusammenfassung des Endergebnisses dienen,

---

[1] Hiermit sind die militärischen Sprüche des Gegners gemeint. [Der Herausgeber]

b) Sprüche, die erst in gewissen Mengen und Zusammenhängen Bedeutung gewinnen,

c) Sprüche ohne Wert.

176. Die Entscheidung darüber, ob ein Spruch völlig wertlos ist, darf nicht zu schnell gefällt werden. Oft kann eine an sich belanglose Nachricht im Zusammenhang mit den Ergebnissen anderer Auswertezweige für die Endauswertung von Bedeutung sein.

177. Es muss mit der Möglichkeit gerechnet werden, dass der Gegner „verschleierte" Sprüche absetzt, indem er hinter einem äußerlich belanglos erscheinenden Text einen geheimen Inhalt verbirgt.

178. Ferner muss mit beabsichtigter Irreführung (Täuschung) gerechnet werden. Einem Klarspruch gegenüber, der im Gegensatz zu sonstiger Gepflogenheit eine wichtige Nachricht enthält, ist Misstrauen geboten. Kann der Inhalt nicht nachgeprüft werden, so ist bei Weitergabe der Meldung auf die Möglichkeit einer Irreführung hinzuweisen.

179. Sind Sprüche verstümmelt oder einzelne Worte unklar, so ist die sinngemäße Ergänzung zu versuchen. Ortsnamen können oft mithilfe der Karte ergänzt werden. Derartige Ergänzungen sind aber als solche oder als Vermutungen kenntlich zu machen. Es ist verboten, Vermutungen als Tatsachen hinzustellen. Mangelnde Selbstkritik kann leicht großen Schaden anrichten.

Endauswertung

Endauswertung bei einer Festen Horchstelle

180. Mit der Inhaltsauswertung ist die Einzelbearbeitung abgeschlossen. Das Gesamtergebnis liegt damit vor, jedoch in zusammenhagloser Form.

Die Einzelergebnisse werden von dem Endauswerter noch kritisch gesichtet, das Brauchbare ausgewählt und zum Endergebnis zusammengefasst.

Endauswertung bei einer beweglich eingesetzten H.-Einheit

181. Als Grundlage für die Zusammenstellung des Endergebnisses dient dem Endauswerter das geographisch orientierte Funkverkehrsbild (Anlage 24), das durch Einfügen aller folgenden Auswerteergebnisse (Inhalt der Funksprüche usw.) zum taktisch geklärten Funkverkehrsbild (Anlage 25) erweitert wird. (Vgl. auch Ziffer 154).

182. Über dieses Bild wird wieder eine Pause gespannt und das Ergebnis übertragen. Es entsteht jetzt die taktische Lageskizze (Beispiel s. Anlage 31).

Sie muss enthalten:

80

a) Frontverlauf,
b) taktische Zeichen und Nummern der erkannten Truppenverbände (die taktischen Zeichen müssen genau den Standort der georteten Funkstellen oder der durch Spruch festgestellten Stäbe bezeichnen),
c) Abschnittsgrenzen der Divisionen, soweit erkannt,
d) Bei nicht geklärten Verbänden die Standorte oder ungefähre Lage der Funkstellen,
e) Ortungszeiten oder Zeiten der Feststellung durch Spruch,
f) Marschgeschwindigkeit und Marschrichtung von Verbänden, dargestellt, wenn Verband erkannt, durch taktisches Zeichen, sonst durch Zeichen für Funkstelle und die Uhrzeit am jeweiligen Standort,
g) Einzeichnung eines Flusses, Sees oder einer Stadt als Markierungspunkt zum Wiederauflegen der Skizze auf die Karte des Feindlagenbearbeiters beim A.O.K.,
h) Zeichenerklärung,
i) nicht einwandfreie Feststellungen oder Vermutungen müssen durch Fragezeichen oder einen Vermerk gekennzeichnet sein.

183. Der taktischen Lageskizze ist eine Funklagemeldung beizufügen. Sie hat Erläuterungen zu geben und sich im Übrigen auf solche Punkte zu beziehen, die in einer Skizze nicht dargestellt werden können. Sie ist nach folgenden Gesichtspunkten abzufassen:

1. Taktische Lage, sonstige Feststellungen, Begründung von Vermutungen,
2. Funklage.

184. Die Endauswertung sorgt dafür, dass wichtige Teilergebnisse sofort (also vor Abschluss des Endergebnisses) an den Feindlagenbearbeiter als Zwischenmeldung gelangen. Das beste Auswerteergebnis verliert seinen Wert, wenn es zu spät zur Führung kommt.

185. Der Endauswerter muss die Tätigkeit der einzelnen Bearbeiter überwachen, unsichere Feststellungen nachprüfen und über ihre Verwendung entscheiden. Er muss die Kriegsgliederung der fremden Heere, die Funklage, die Organisation der H.-Stellen und H.-Einheiten sowie die gesamte Auswertung kennen.

Unterlagen und Hilfsmittel der Auswertung

186. Jede Auswertung muss ausgestattet sein mit:
Übersichten über Gliederung und Verteilung der fremden Heere,
Übersichten über die Verwendung der Funkgerätetypen beim Gegner,
Gerätbeschreibungen,
Beschreibungen fremder Funkverfahren (Funklagemappen),

Zusammenstellungen über Ortsnamenveränderungen,
Karten aus den betreffenden Ländern,
Namenkartei höherer Offiziere,
Ranglisten,
Spezialwörterbüchern,
Vordrucken für Funkmerkmale und -verfahren,
Vordrucken für Spruchliste,
Vordrucken für Peil- und Ortungsliste,
Vordrucken für Peilberichtigungskurve,
Vordrucken für Peilberichtigungstabelle,
Karteiblättern für kriegsmäßige Betriebsauswertung,
Karteiblättern für Abkürzungen,
Karteiblättern für Offiziere,
Karteiblättern für Truppenteile,
Karteiblättern für Flugzeuge,
Merkblättern für Zeichen im Auswertedienst (Anlage 32).

Mitarbeit an der Aufgabenzuteilung und Verschleierung

187. Aufgabe des Endauswerters ist es auch, dem Erfassungsleiter laufend Unterlagen für die Aufgabenverteilung an die einzelnen Trupps zu geben.
Die einzelnen Auswerter erkennen am ehesten, wo Lücken in der Erfassung oder in den Peilergebnissen bestehen, die zur Ergänzung des Gesamtbildes geschlossen werden müssen.
188. Die Auswertestelle ist in der Lage, für die Verschleierung des eigenen Funkverkehrs und für die Täuschung des Gegners Vorschläge zu machen oder beabsichtigte Maßnahmen dieser Art zu prüfen.

1. Beispiel für Einsatz einer H.=Kompanie.

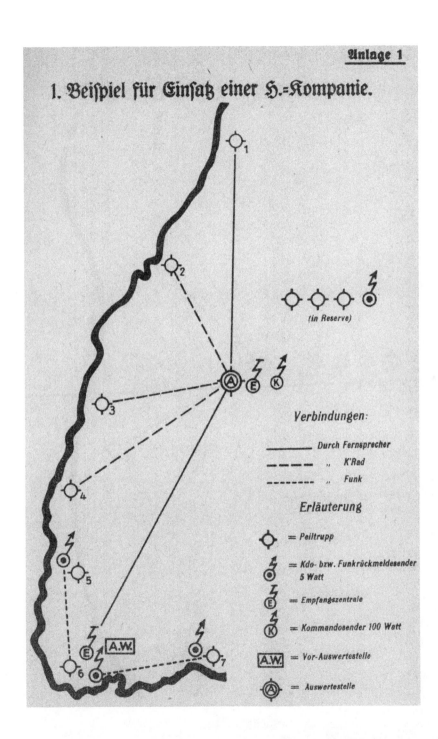

(in Reserve)

Verbindungen:

————————	Durch Fernsprecher
– – – – – –	„ K'Rad
- - - - - - -	„ Funk

Erläuterung

= Peiltrupp
= Kdo- bzw. Funkrückmeldesender 5 Watt
= Empfangszentrale
= Kommandosender 100 Watt
A.W. = Vor-Auswertestelle
= Auswertestelle

2. Beispiel für Einsatz einer H.=Kompanie.

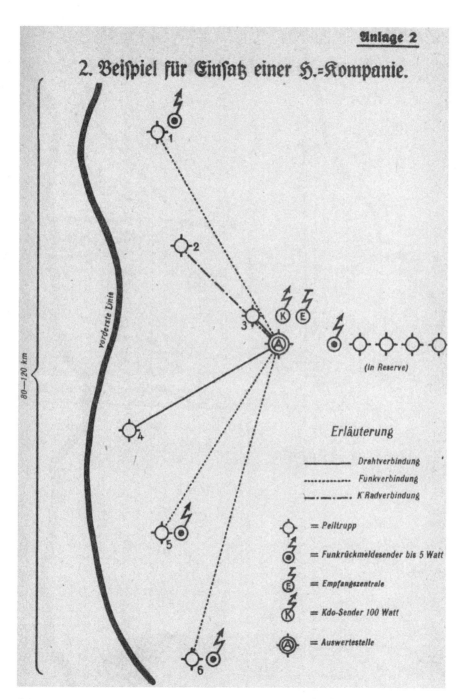

(In Reserve)

Erläuterung

————	Drahtverbindung
··········	Funkverbindung
—·—·—	K'Radverbindung
	= Peiltrupp
	= Funkrückmeldesender bis 5 Watt
E	= Empfangszentrale
K	= Kdo-Sender 100 Watt
A	= Auswertestelle

vorderste Linie

80—120 km

84

3. Beispiel für Einsatz einer H.=Kompanie.

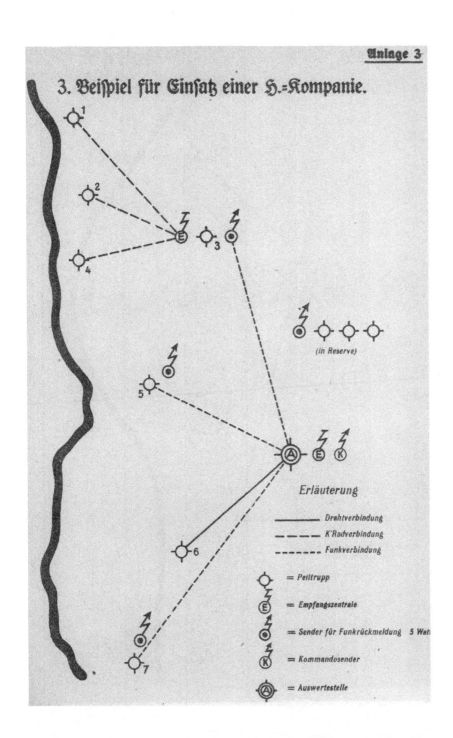

(in Reserve)

Erläuterung

———————	Drahtverbindung
— — — —	K'Radverbindung
- - - - - -	Funkverbindung

= Peiltrupp

= Empfangszentrale

= Sender für Funkrückmeldung   5 Watt

= Kommandosender

= Auswertestelle

85

3. Beispiel für Einsatz einer H.-Kompanie.

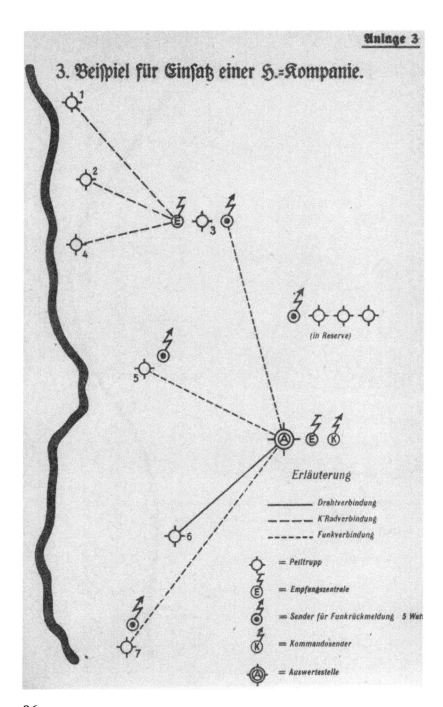

(in Reserve)

Erläuterung

———————	Drahtverbindung
— — — —	K'Radverbindung
- - - - -	Funkverbindung

= Peiltrupp

Ⓔ = Empfangszentrale

◉ = Sender für Funkrückmeldung   5 Wat

Ⓚ = Kommandosender

Ⓐ = Auswertestelle

4. Beispiel für Einsatz einer H.=Kompanie.

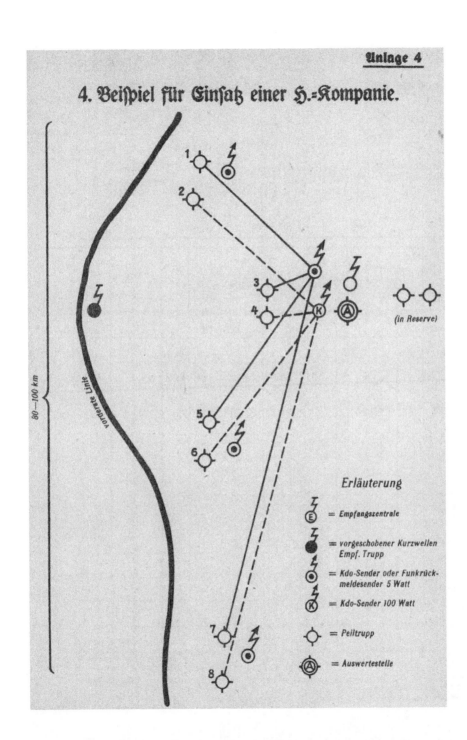

80—100 km

Vorderste Linie

1

2

3

4

5

6

7

8

K

A

(in Reserve)

Erläuterung

E   = Empfangszentrale

= vorgeschobener Kurzwellen
  Empf. Trupp

= Kdo-Sender oder Funkrück-
  meldesender 5 Watt

K   = Kdo-Sender 100 Watt

= Peiltrupp

A   = Auswertestelle

87

Feste Horchstelle ....

H.-Einheit   *3./N. 18*

E.-Zentrale   *2*

E.-Trupp   *—*

O. U. *Neuendorf* , den *21. 9.* 1936

Standort   *5743, 4 r ; 8236, 2 h*

Fernmündliche
Urschriftliche   **Tagesmeldung Nr.**   *1*

E   *III* / *M*

vom (Tag) *21. 9.* Uhr *0500* bis (Tag) *21. 9.* Uhr *1200*

Anf. Zeit	Freq. kHz (Welle) m	an	Verb. Zeich.	von	Peil Nr.	Inhalt bei Sprüchen hier Art des Spruches eintragen (z. B. Kl oder 3 B oder 5 Z)	A. Nr.	Bemerkung (siehe unten)
e	f	c		a	z	v	u	i
0657	602	rad	v	wag	+32	320 410 502 K		
0700	540	sod	v	tag	+33	K		
0706	870	tra	v	Kid	+34	852 — 40 2109 0450 (5 B)	20	
0713	1420	las	v	rod	+35	(Kl)	21	

1. Der Kopf ist genau auszufüllen!
2. Von Sprüchen ist unter »v« die Sendenummer, der Spruchkopf und die Art, unter »u« die Aufnahmenummer (chi = rot, Klarsprüche = blau) einzutragen.
3. Unter »i« sind anzugeben: Lä, Ton, Tempo, Sendeart, Ls, fs und sonstige Merkmale.

88

H=Funkspruch

Feste Horchstelle ....

H.-Einheit *3./N. 18*

E.-Zentrale *2*

Empfänger Nr. .... *III*

Aufnahme Nr. *20*

| An .... *tra* |
| Von .... *kid* |
| Am .... *21. 9.* 193 *6* um *0706* Uhr |

Aufgenommen durch .... *Maier*

Ton ....

Frequenz .... *870* (Welle ...—...m), Lautstärke *3*

Bemerkungen des Hörers
über Empfangsbedingungen
und besondere Merkmale:

852 40	2109	0450 —	
aokgt	rtsbl	vqgsz	tblmu
	usw.		

Der Truppführer ist für genaue und vollständige Ausfüllung des Vordrucks wie für die Eintragung der Namen der Besatzung und des Aufsichthabenden verantwortlich!

Feste Horchstelle ....

H.-Einheit: .... *3./N. 18* ....   Aufbauplatz: .... *Gr. Heinrichsdorf* ....

Peiltrupp: .... *2* ....

Peilberichtigungstabelle

aufgestellt am: .... *22. 3. 38* .... von .... *0700* .... bis .... *1500* .... Uhr

durch: .... *Wachtmeister Buchholz* ....

Uhrzeit	Frequenz kHz Welle (m)	Kenn- gruppe	Rohe Peilung			Wahre Peilung	Peil- berichti- gung
			Grenzwerte		errechneter Mittelwert		
			von	bis			
0715	750	berta	250	260	255	253	— 2

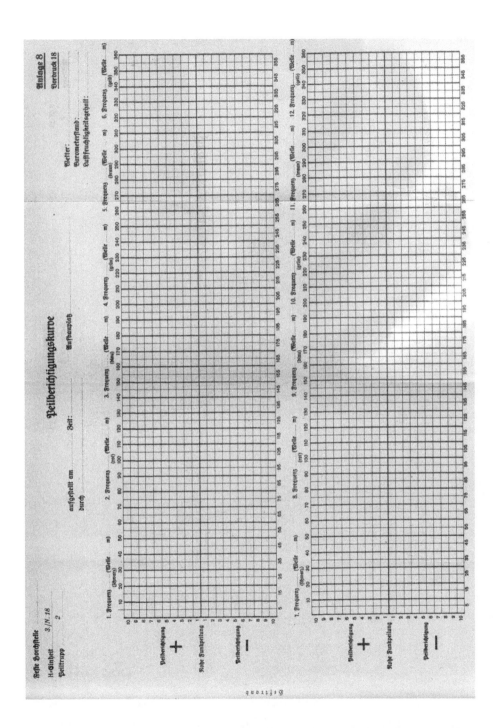

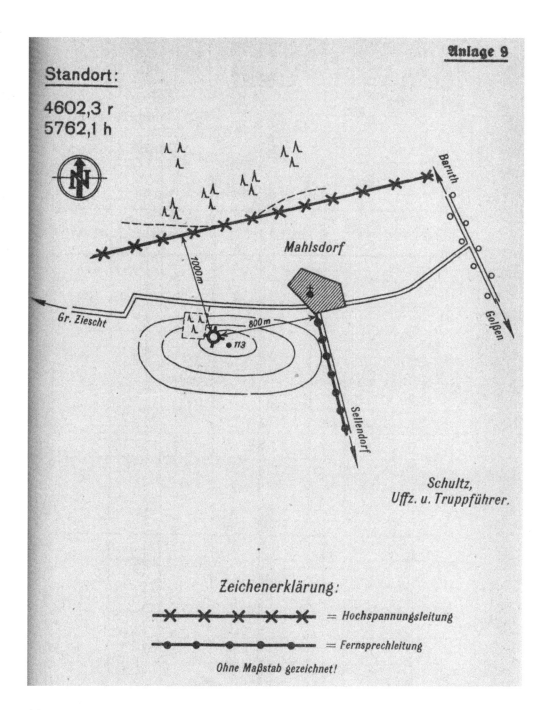

Standort:

4602,3 r
5762,1 h

Baruth

Mahlsdorf

Gr. Ziescht

1000 m

800 m

• 113

Golßen

Sellendorf

Schultz,
Uffz. u. Truppführer.

Zeichenerklärung:

✕—✕—✕—✕—✕ = Hochspannungsleitung

●——●——●——●—— = Fernsprechleitung

Ohne Maßstab gezeichnet!

92

Anlage 10   **Vordruck 1**

H-Einheit .... *3./N. 18* ....

E-Zentrale (Kdo. Sender) ...2...

Peiltrupp .... — ....

Standort .... *Neuendorf* ....

Datum .... *21. 9. 36* ....

Sender **Taftmeldung Nr.** ......*1*......

Anf. Zeit	Freq. kHz (Welle) m	Kennbuchstabe	Peil Nr.	Anf. Zeit	Freq. kHz (Welle) m	Kennbuchstabe	Peil Nr.
0706	870	B	34				
0713	1420	Kl	35				

H-Einheit .... *3./N. 18* ....   Datum .... *21. 9. 36.* ....

E-Zentrale (Kdo. Sender) ......—......

Peiltrupp .... *1* ....

Standort ......*4602,3 r; 5762,1 h*......

Aufnahme **Tastmeldung Nr.** _1_

Anf. Zeit	Freq. kHz (Welle) m	Kennbuchstabe	Peil Nr.	Anf. Zeit	Freq. kHz (Welle) m	Kennbuchstabe	Peil Nr.
0706	870	B	34				
0713	1420	Kl	35				

Anlage 12   **Vordruck 4**

Feste Horchstelle ....
H.-Einheit *3./N. 18*
P.-Zug ....
Peiltrupp *1*

O.U. .... *Mehlsdorf* ...., den .... *21. 9.* 19 *36*
Standort .... *4602,3 r ; 5762,1 h*
Berücksichtigte magnet. Mißweisung .... *5°*
Wetter .... *klar, leichter Westwind*
Umgebung .... *Felder, Wiesen, Gebüsch*

Fernmündliche Urschriftliche **Peilmeldung Nr.** *1*

vom (Tag) ..... *21. 9.* Uhr ..... *0500* bis (Tag) ..... *21. 9.* Uhr *1200*

Anf. Zeit	Freq. kHz (Welle) m	an	von	Funkpeilung Minimum-Grenzwerte		Errechneter Mittelwert	Kenn-buchst.	Peil-Nr.	Lä	Bemerkungen
e	f	c	a	g		g¹	y	z	w	i
0706	870	tra	kid	20	30	25	B	34	3	
0713	1420	las	rod	25	30	27,5	Kl	35	3	

1. Der Kopf ist genau auszufüllen!
2. Möglichst oft Kontrollpeilungen von bekannten Sendern vornehmen; die Eintragungen unter »i« mit Zusatz »Kontrollpeilung« versehen. Der Truppführer ist für genaue und vollständige Ausfüllung des Formulars wie für die Eintragung der Namen der Peilbesatzung und des Aufsichthabenden verantwortlich.

Staat: *Polen*
Zugehörigkeit: *Kriegsministerium*
Sender: *Warschau*
Empfänger:

Anlage 13

Funklinie

Vordruck 5

Jahr: *1936*

Wilna

Verkehrsstatistik

Tag	Jan.	Febr.	März	April	Mai	Juni	Juli	Aug.	Sept.	Okt.	Nov.	Dez.	Tag	Jan.	Febr.	März	April	Mai	Juni	Juli	Aug.	Sept.	Okt.	Nov.	Dez.	Tag
1. R	*vor*																									17.
1. W	*1250*																									
2. R					*sqw*																					18.
2. W					*805*																					
3. R																										19.
3. W																										
4. R																										20.
4. W																										
5. R																										21.
5. W																										
6. R																										22.
6. W																										
7. R																										23.
7. W																										
8. R																										24.
8. W																										
9. R																										25.
9. W																										
10. R																										26.
10. W																										
11. R																										27.
11. W																										
12. R																										28.
12. W																										
13. R																										29.
13. W																										
14. R																										30.
14. W																										
15. R																										31.
15. W																										
16. R																										
16. W																										

Verkehrszeiten:

Zeit	Verkehr	Zeit	Verkehr	Zeit	Verkehr	Zeit	Verkehr	Zeit	Verkehr	Zeit	Verkehr
00 00		04 00		08 00		12 00		16 00		20 00	
15		15		15		15		15		15	
30		30		30		30		30		30	
45		45		45		45		45		45	
01 00		05 00		09 00		13 00		17 00		21 00	
15		15		15		15		15		15	
30		30		30		30		30		30	
45		45		45		45		45		45	
02 00		06 00		10 00		14 00		18 00		22 00	
15		15		15		15		15		15	
30		30		30		30		30		30	
45		45		45		45		45		45	
03 00		07 00		11 00		15 00		19 00		23 00	
15		15	*Vork. Verkehr*	15		15		15		15	
30		30		30		30		30		30	
45		45		45		45		45		45	

97

Zwischenstaatliche Funklinie

Vordruck 6 / Nr.

Jahr: 1936

Polen .... Amerika

Sender			Empfänger			Verkehrszeiten			
Standort	Rufz.	Welle m	Standort	Rufz.	Welle m	Verfl. Vert.	Sprüche	Presse	Wettermlg.
Warschau	spl	18300	Tuckerton	wci	16300	02—0300	0300—	0700	
			Bargenat	wra	6500		07—0900		

Vorgesehen für Rufzeichen- und Frequenzänderung beim Sender

98

Verkehrsstatistik

	1.	2.	3.	4.	5.	6.	7.	8.	9.	10.	11.	12.	13.	14.	15.	16.	17.	18.	19.	20.	21.	22.	23.	24.	25.	26.	27.	28.	29.	30.	31.
Januar	/	/	/	/	/	/	/		/	/	/	/																			
Februar																															
März																															
April																															
Mai																															
Juni																															
Juli																															
August																															
September																															
Oktober																															
November																															
Dezember																															

99

Vordruck 7 / **Nr. 1**

Staat: _Rußland_

Netz: _Küstenfunknetz_

Jahr: _1936_

Standort	Rufzeichen	Frequenz kHz Wellen m	gehört:											
			Jan.	Febr.	März	April	Mai	Juni	Juli	Aug.	Sept.	Okt.	Nov.	Dez.
Rjasau	_uzh_	_48 m_	∕	∕	∕	∕	∕	∕	∕	∕	∕	∕		
Wladiwostok	_uik_	_142 m_	∕	∕	∕	∕	∕	∕	∕	∕				

Für Rufzeichenänderung

Für Wellenänderung

100

Vordruck 8

Staat: _Polen_

Netz: _Heeresübungsfunknetz_

Jahr: _1936_

Datum	Zeit	Frequenz kHz Welle m	an	Verb.- Zeichen	von	Inhalt (Betr. Z., Text, Spruchköpfe)	Spr. Art	Peiler I	Peiler II	Peiler III	Bemerkungen
13.5.	1000	800	a b 7	Z	d f 8	— 648 K					
13.5.	1002	900			d f 8	— K		90	100	120	a b 7
13.5.	1003	800			d f 8	— 648 — 12 1305 1000	4 Z	101		118	
13.5.	1120	800	o i 1	Z	a d 2	K		90	100		= a b 7

Staat: .... *Polen* .... Netz: .... *Heeresübungsnetz* ....

I. Funkmerkmale	II. Funkverfahren
Art des Verkehrs: *Netzverkehr*	**Anruf:** $a\,6\,g$ z $r\,7\,a$ — 648 K $\lambda = 600$
Rufzeichengebrauch: a) Aufbau: $a\,6\,g$ — $6\,g\,a$ — $a\,g\,6$ b) Wechsel: *täglich, kehren alle* *10 Tage wieder*	**Beantwortung des Anrufs:** $r\,7\,a$ — 540 K $\lambda = 750$
Verbindungszeichen: Z	**Schlußanruf:** $r\,7\,a$ — 635 ar $\lambda = 600$
Wellengebrauch: *Empfangswellen*	
Betriebszeichengebrauch: a) Aufbau: $Z\,Z\,Z$ b) Wechsel: *wechseln täglich und* *kehren alle 10 Tage wieder*	**Spruchankündigung:** Kl.: Chi.: $a\,6\,g$ z $r\,7\,a$ — 500 K $\lambda = 600$
Sprüche: Sprucharten: a) *4 z* b) c) d) **Spruchaufbau:** Kopf: a) *15 1305 1000* b) c) d) Anschrift: a) *An Funkstelle Nr. 6* b) c) d) Unterschrift: a) *Funkstelle Nr. 2* b) c) d)	**Antwort auf Spruchankündigung:** $r\,7\,a$ — 620 K $\lambda = 750$
	Spruchdurchgabe: $r\,7\,a$ — 500 12 0208 1300 $\lambda = 600$
	Spruch — Empfangsbestätigung: $r\,7\,a$ — 560 — 12 1300 $\lambda = 750$ ar
Verkehrszeiten: (MGZ) *0700—1200 Uhr* *1500—2100 Uhr*	**Schlußanruf:** $r\,7\,a$ — 320 arsk $\lambda = 600$ (sk)

Stand:

Erläuterungen:

Anzahl und Standorte der Funkstellen				Bemerkungen
Lfde. Nr.	Ruf.	Standort	Bemerkungen	
1.		Warschau		Leitstelle
2.		Benjaminow		usw.
3.		Zegrze		
4.		Wilna		
		usw.		

Geogr. Lage der Funkstellen:

*Hier ist der Umriß des betreffenden Landes abzudrucken und
das Funknetz darin einzuzeichnen.*

Stand:

Spruchliste

104

Spruchliste zum Erkennen von Funkstellen

Tag	Spruchaufnahme							Spruchkopf				Spruchinhalt								Bemerkungen
	Aufn. Zeit	an	von	Frequenz kHz / Welle m	Trupp/ Empf.	Aufn. Nr.	Bez.	Spr. Nr.	Worte Gruppen	Datum	Zeit-Gruppe	Anschrift oder Gruppen 1—4				Unterschrift oder letzte 4 Gruppen				
												1	2	3	4	1	2	3	4	
22. 8. 36	0920	3 rn	6 gd	600	3/III	10	pod	31	45	22. 9.	0600	15418	63457	25816	13685	76457	65312	86137	86516	
23. 8. 36	0945	2 dg	8 fo	650	3/III	15	po	45	36	23. 9.	0930	15418	38278	69362	54691	76457	65312	86137	86516	8 fo = 6 gd

Befindet sich der Empfänger bei einer Empfangszentrale, so ist an Stelle »Trupp«, »Empfangszentrale« zu setzen.

In diese Spalte ist die Gruppe zu setzen, die die Art des Spruches bezeichnet, z. B. po = Dienstspruch, pod = dringender Dienstspruch.

Vordruck 10

Zug A ....
Karte Nr. 1 ....

Sender	Empfangs- stelle	Tag	Zeit	Frequenz kHz (Welle) m	Peil. Nr.	Minimumgrenzwerte und errechneter Mittelwert $g + g\,1$					Bemerk.
a	o	d –	e	f	z	1	2	3	4	5	
3 ra	1) 2 fo	22. 9.	0920	450	20	30 40 / 35			45 50 / 47,5		
$\dfrac{b}{6\,2a}$											

Standorte

Zeit	Güte		laut Ortung	laut Spruch	Zugehörigkeit
k	l		m	n	o
0920	⊕	0840	Gr. Heinrichsdorf	Gr. Heinrichsdorf	

Netz: *Inf. Führer*

Taktisch: *8. I. D.*

siehe Rückseite

Bezug	Inhalt	T. M.		S. Nr.	Spruch	Art
		Nr.	E. S.		A. Nr.	
p	q	r	s	t	u	v
c 1)	I. R. 24 erreicht bis ...... dorf. 8. I. D.	2	A	45	60	5 Z

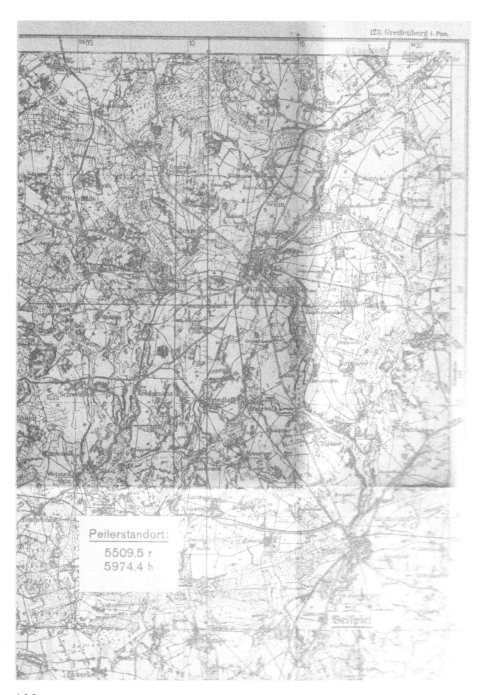

123. Greifenberg i. Pom.

Peilerstandort:
5509,5 r
5974,4 h

108

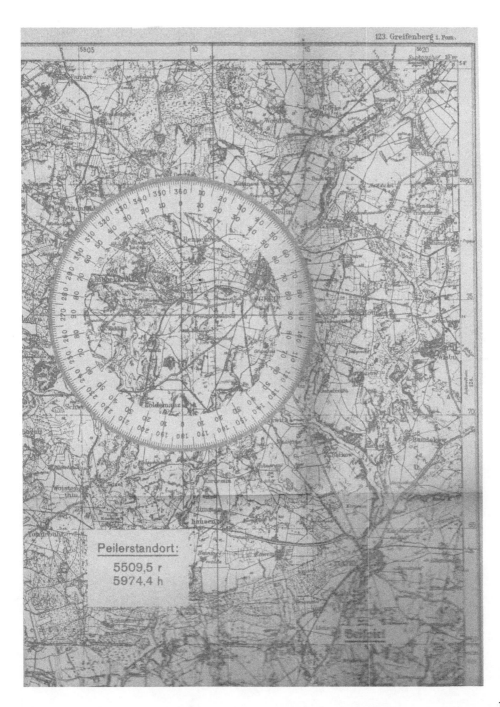

123. Greifenberg i. Pom.

Peilerstandort:
5509,5 r
5974,4 h

109

Feste Horchstelle _____
H.=Einheit _____ 3./N. 18

Peil= und Ortungsliste Nr. _____
von _____ Uhr _____ bis _____ Uhr _____

Uhrzeit	Frequenz kHz / Welle m	an	Ver- bindungsst.	von	Peil.Nr.	Peilungen								Bemerkungen	Standorte und Sitz der Ortungen
						P 1	P 2	P 3	P 4	P 5	P 6	P 7	P 8		

110

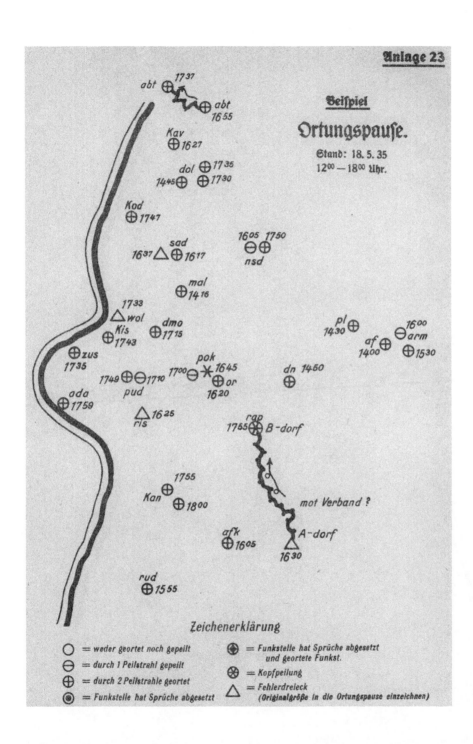

Beispiel

Ortungspause.

Stand: 18. 5. 35
$12^{00} - 18^{00}$ Uhr.

Zeichenerklärung

○ = weder geortet noch gepeilt

⊖ = durch 1 Peilstrahl gepeilt

⊕ = durch 2 Peilstrahle geortet

◉ = Funkstelle hat Sprüche abgesetzt

⊛ = Funkstelle hat Sprüche abgesetzt und geortete Funkst.

⊗ = Kopfpeilung

△ = Fehlerdreieck (Originalgröße in die Ortungspause einzeichnen)

111

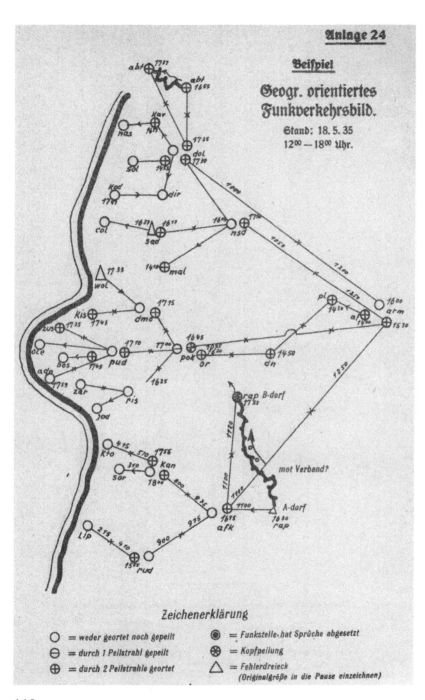

Beispiel

Geogr. orientiertes
Funkverkehrsbild.

Stand: 18. 5. 35
12⁰⁰ — 18⁰⁰ Uhr.

Zeichenerklärung

○	= weder geortet noch gepeilt	◉	= Funkstelle hat Sprüche abgesetzt
⊖	= durch 1 Peilstrahl gepeilt	⊛	= Kopfpeilung
⊕	= durch 2 Peilstrahle geortet	△	= Fehlerdreieck (Originalgröße in die Pause einzeichnen)

112

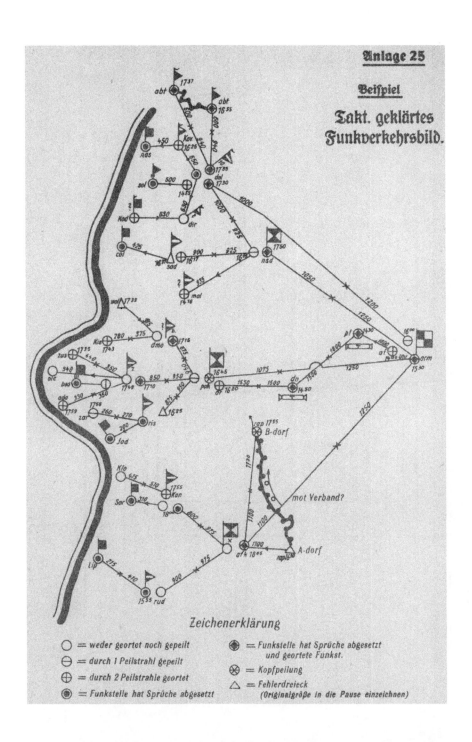

Beiſpiel

Takt. geklärtes
Funkverkehrsbild.

Zeichenerklärung

○ = weder geortet noch gepeilt

⊖ = durch 1 Peilstrahl gepeilt

⊕ = durch 2 Peilstrahle geortet

⊙ = Funkstelle hat Sprüche abgesetzt

⊛ = Funkstelle hat Sprüche abgesetzt
und geortete Funkst.

⊗ = Kopfpeilung

△ = Fehlerdreieck
(Originalgröße in die Pause einzeichnen)

113

Vordruck 11

Staat: *Polen*

Deutung:

Abkürzung	Fremdsprachlich:	Deutsch:
pp	*pulk piechoty*	*Infanterie-Regiment*

Quelle

Vordruck 12

Nr. / 1

Name: Rayski **Land:** Polen

Datum	Quelle	Dienstgrad	Dienststellung	Dienststelle oder Truppenteil	Standort
1	2	3	4	5	6
20.9.36.	F. M. Nr. 30	Brig. General	Chef des Dep. IV	Departement IV im Kriegsmin.	Warschau

Einzelheiten über Veränderungen auf Rückseite.

Veränderungen:

Zu Spalte	Datum	Ernennungen und Beförderungen	Kommandierungen, Versetzungen
3	1.4.36.	zum Brig. General ernannt	

116

Vordruck 13 / **Nr. 1**

Truppenteil: _24. I. R._

Land: _Polen_

Datum	Quelle	Truppenteil und seine Untergliederungen	Standort	Truppenteil ist unterstellt:
20.8.36	V. N. M. 30	24. Inf. Regiment	Bielsko	8. Inf. Div.
		I./24	Bielsko	
		II./24	Tarnopol	

117

Flugzeugtyp: *PWS 19 Heeresaufkl. 2 M.Bes.*   ‖ Karteikarte Nr.:   *1*

»spm 04« und Tagbomber

1. Hersteller: *P.W.S., Biala Podlaska (F)*

2. Flügelart: *Hochdecker, abgerundetes Flügelende*

3. Flügelspannweite: *14,5 m   Länge: 9,0 m*

4. Propeller: *1 Zugschraube*

5. Fahrgestell: *achsloses Fahrgestell, verkleidete Anlaufräder*

6. Leergewicht: *1,34 t*

7. Fluggewicht: *1,95 t*

8. Motor (Typ und Anzahl): *1 »Pratt«-Motor, Sternmotor u. Haubenring*

9. Gesamtleistung in PS: *520 PS*

10. Geschwindigkeit: a) max: *255 km/h, in 0 m — 1000 m*

       b) normal:

       c) Landegeschwindigkeit:

11. Flugweite: *700 km*

12. Steigfähigkeit: *5000 m in 17 Min.*

13. Gipfelhöhe: *7200 m*

14. Bewaffnung: a) M.G.: *1 M.G., starr, 2 M.G. bewegl.*

       b) Kanone:

       c) Bombenladung: *0,61 t*

15. Nachrichtengerät:

       Sende-Empfangsanlage.

       Sender:

       Empfänger:

verwendet bei Formation	Ort:	verwendet als:	aufgetreten im Monat:							
			Febr.							
Flg.-Regt.	*Posen*	*Tagbomber*	*3,36*							
..Geschwader										

118

Nr. des Flugzeugs	Aufgetreten:											
	Jan.	Febr.	März	April	Mai	Juni	Juli	Aug.	Sept.	Okt.	Nov.	Dez.
120		7. 36	20. 36	usw.								
132			13. 36									

Vordruck 15

Feste Horchstelle.....................

H.=Einheit: ......*3./N. 18*......

Flugmeldung Nr. *2/VIII. 36*

120

Flugmeldung Nr. 2|VIII. 36 Land: Frankreich

Start			Landung				Flugzeuge				Funkregelung					Flugmlb. ist unternommen aus.	Flugzeug gehört zu.
Datum	Startzeit	Abflugort	Zwischenlandung Ort	Zeit	Bestimmungsort	Landezeit	Anzahl	Type und Nr.	Motor	Kopfstärke der Besatzung	Bodenfunkst. Standorte	Wellen m	Flugzeug	Bodenfunkst.	Flugzeuge		
5. 8.	0845	Chartres	Saarburg	1114	Chateauroux	0945					Chartres	1015		filk		F.M. 19./VIII	6. Geschw.
6. 8.			Verdun	1153	Reims	1210	1	Niewport				680	Flugzeug		baa	F.M. 26./VIII	1. Geschw.

121

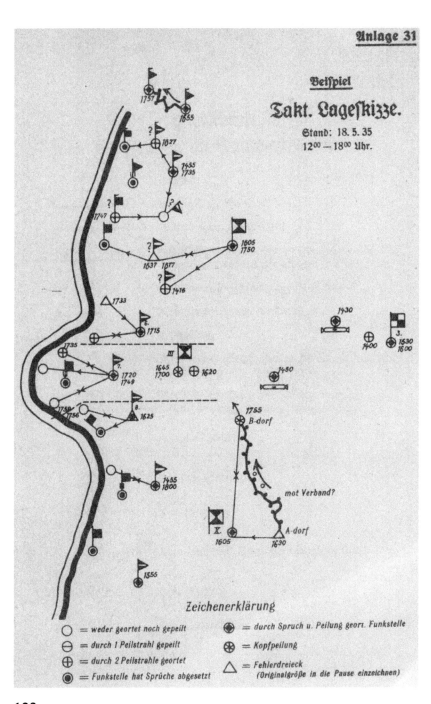

Beispiel

Takt. Lageskizze.

Stand: 18.5.35
12⁰⁰ — 18⁰⁰ Uhr.

Zeichenerklärung

○ = weder geortet noch gepeilt   ⊕ = durch Spruch u. Peilung geori. Funkstelle

⊖ = durch 1 Peilstrahl gepeilt   ⊛ = Kopfpeilung

⊕ = durch 2 Peilstrahle geortet

⊙ = Funkstelle hat Sprüche abgesetzt   △ = Fehlerdreieck
                                    (Originalgröße in die Pause einzeichnen)

Merkblatt
für Zeichen im Auswertedienst

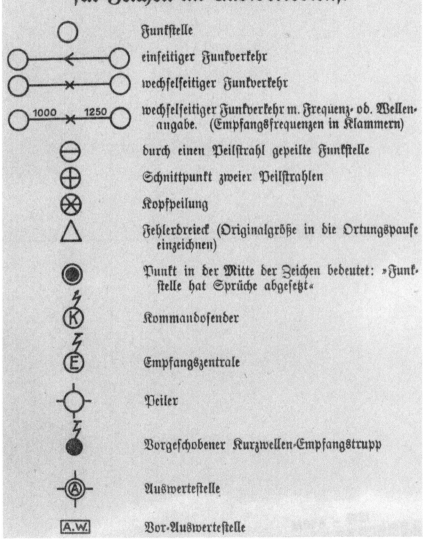

Funkstelle

einseitiger Funkverkehr

wechselseitiger Funkverkehr

wechselseitiger Funkverkehr m. Frequenz- od. Wellen-
angabe. (Empfangsfrequenzen in Klammern)

durch einen Peilstrahl gepeilte Funkstelle

Schnittpunkt zweier Peilstrahlen

Kopfpeilung

Fehlerdreieck (Originalgröße in die Ortungspause
einzeichnen)

Punkt in der Mitte der Zeichen bedeutet: »Funkstelle hat Sprüche abgesetzt«

Kommandosender

Empfangszentrale

Peiler

Vorgeschobener Kurzwellen-Empfangstrupp

Auswertestelle

Vor-Auswertestelle

123